YVES GIRARD
O.C.S.O.

Qui a lavé ton visage?

ANNE SIGIER

Du même auteur, aux Éditions Anne Sigier :

Solitude graciée
Lève-toi, resplendis !
Aubes et lumières
Naissances (épuisé)
Je ne suis plus l'enfant de la nuit
Promis à la gloire : toi

Dans la collection « Va boire à ta source » :
L'Invisible Beauté

Données de catalogage avant publication (Canada)
Girard, Yves, 1927-
    Qui a lavé ton visage ?
    (Va boire à ta source ; 2)
    ISBN 2-89129-234-0
    1. Rémission des péchés. 2. Pardon - Aspect religieux - Église
catholique. 3. Dieu - Amour. 4. Salut. 5. Souffrance - Aspect religieux -
Église catholique. I. Titre. II. Collection.
BT795.G57 1994   234'.5   C94-941504-9

ÉDITION

Éditions Anne Sigier   Éditions Anne Sigier – France
2299, boul. du Versant-Nord   Z.A. du Moulin de Lesquin
Sainte-Foy (Québec) G1N 4G2   419, av. du Maréchal Leclerc
tél. : (418) 687-6086   59155 Faches-Thumesnil
téléc. : (418) 687-3565   France

CONCEPTION

André Vigneault

ILLUSTRATION PAGE COUVERTURE

Le Bon Larron
Peinture de Bradi Barth

DÉPÔT LÉGAL

Bibliothèque nationale du Québec
Bibliothèque nationale du Canada
4e trimestre 1994

« Va boire à ta source »

« Va boire à ta source » est une nouvelle collection dirigée par le père Yves Girard, moine cistercien à Oka. Auteur de plusieurs volumes publiés aux Éditions Anne Sigier, Yves Girard propose dans cette collection un itinéraire à l'encontre des chemins faciles qui mènent trop souvent à l'impasse. « Va boire à ta source » conduit vers ces lieux d'écoute et de silence d'où sourd une Parole qui suscite la fête.

« Je vais répandre de l'eau sur le sol assoiffé »
(Is 44,3)

Marqué par l'insatisfaction

Une porte a été percée dans le cœur de l'homme, une porte qui ouvre sur l'insatisfaction.

L'homme est un insatisfait !

Et cette étrange blessure fait de lui un être mystérieusement marqué par la vie.

Un tourment est installé à demeure au fond de lui.

Une sève bouillonne en ses racines.

Il est en appétit d'un pain qu'il ne sait pas nommer.

L'enfer de l'homme

Depuis toujours, l'homme a feint d'ignorer ce mal étrange qui l'habite.

Il s'est étudié de manière à étouffer en lui ce virus tenace qui le ronge jusqu'en ses zones cachées.

Mais, douloureusement, la blessure ouverte en lui le ramène constamment à sa vérité.

Et plus il s'emploie à étouffer l'appel intérieur, plus sa plaie tourne au vif.

C'est là l'enfer de l'homme.

L'enfer du temps.

La perfection de nos mécanismes

Notre cœur nous parle avec véhémence.

Il nous déchire quand nous tentons de nous dérober à ses exigences.

Nous n'avons pas le choix : il nous faut composer avec notre cœur et ses lois.

Notre organisme produit des anticorps quand il se sent envahi par les microbes.

Notre cœur, lui, sécrète la souffrance quand nous faisons la sourde oreille à ses messages.

Quel équilibre en nous !

Tout a été prévu.

Les rouages de notre être sont sans défaillance.

Pourtant, il est encore une défaillance possible : la tiédeur, cette faculté redoutable de pouvoir anesthésier la douleur consécutive à notre mensonge et à nos illusions.

Un phénomène contre nature

Au dire de l'Écriture, c'est le mal par excellence de l'homme !

Ce mal a le don de soulever la colère de l'Agneau, parce qu'il réussit à freiner en nous le mouvement de la vie.

La tiédeur est la maladie qui nous permet de nous endormir paisiblement dans les bras de la mort.

C'est là un phénomène contre nature, parce que la nature, précisément, nous dit depuis toujours que la mort est un passage d'inacceptable souffrance.

La proie qui relance le désir

Le cœur de l'homme est un instrument qui ne connaît pas le rassasiement.

Un instrument qui ne pourra jamais arriver à la satiété.

Mais pourquoi en est-il ainsi ?

L'homme a l'incessant désir de mettre la main sur ce qu'il convoite et il est toujours dans l'impossibilité d'atteindre sa proie.

Comme s'il était mauvais chasseur.

Depuis le berceau jusqu'à la tombe, notre cœur est tendu vers quelque objet, et dès qu'il touche à ce qu'il prétendait chercher, il est immanquablement atteint par la brûlure de la déception.

Quelle peut bien être la loi qui préside à cet état de choses ?

Inacceptable vérité

Notre cœur ne le sait pas – et gardons-nous de lui révéler ce qu'il en est –, il a plus de bonheur à désirer ce qu'il convoite qu'à l'étreindre.

C'est là une vérité inacceptable, me direz-vous !

Oui, notre cœur a été informé par un objet qui le dépasse, au point que ce lui serait une épreuve insoutenable que d'entrer aujourd'hui en sa possession.

L'épreuve redoutable : notre béatitude

Si peu d'humains ont appris à régir leur intérieur dans le sens de l'Esprit !

Avec cette conséquence que notre plus grande béatitude est souvent perçue comme une redoutable épreuve.

Yahwé Dieu la connaissait bien, cette loi du cœur humain, quand, au Paradis, il interdisait à nos premiers parents de manger d'un fruit qui était pourtant beau et désirable.

Eux non plus n'ont pas compris.

La présence dans l'absence

Cette loi, le Christ de la résurrection désirait la révéler au cœur des siens quand il demandait à Madeleine de cesser de l'embrasser.

Et, à l'auberge d'Emmaüs, il continuait la leçon.

Non seulement le départ du Christ, après la fraction du pain, laisse les disciples pleins de joie, mais c'est à cet instant qu'ils prennent conscience de toute l'intensité de ce qu'ils avaient vécu en chemin.

Comme si nous ne pouvions commencer à vivre qu'en étant séparés de ce que nous désirons le plus.

Se peut-il que nous aussi, un jour, après qu'une étincelle de vie aura surgi comme par miracle du fond de notre être, nous fassions retour sur notre passé pour y découvrir la présence de cette lumière dont nous avions toujours cru manquer ?

Est-il possible qu'en chacune de nos vies, aujourd'hui, la mystérieuse brûlure, source de tant de bonheur et maîtresse de liberté, puisse être déjà à l'œuvre sans que nous y prenions garde ?

Le poids trop grand de notre héritage

J'ai dit que le désir était en nous plus rentable que tout accomplissement.

Et j'ai expliqué cette loi étonnante de notre cœur en avançant que l'objet de notre désir avait trop d'envergure pour pouvoir loger chez nous.

Mais tout cela nous laisse sur notre appétit.

Il nous faut pousser plus avant l'explication.

C'est parce que nous sommes déjà en possession du bien que nous convoitons que notre désir ne peut être accompli.

Nous sommes effectivement malheureux de ne pouvoir entrer en pleine possession de l'objet de notre désir, mais notre souffrance ne vient pas de ce qui nous manque.

Notre souffrance vient, tout au contraire, de ce que nous sommes déjà en possession de notre héritage.

C'est la surabondance de notre richesse qui est la cause de notre malaise.

Nous qui, chaque jour, gémissons sur notre incurable pauvreté et peinons sous le joug de la vie, nous souffrons comme la mère qui en est à son neuvième mois, comme la branche qui menace de se briser sous le poids des fruits qu'elle porte.

Le visage de la vie ou de la mort ?

Quelle nouvelle : notre inguérissable malaise est la mise au monde de la plus belle partie de nous-mêmes.

Quelle détresse : le visage de la vie, quand il se présente à nous pour nous modeler à sa ressemblance, nous le percevons comme celui de l'indigence, de la pauvreté et de la mort !

C'est là la tristesse de nos vies.

Il nous suffirait d'être un tant soit peu attentifs à l'attitude du Seigneur face aux « satisfaits » de la vie pour comprendre que le désir est à la racine des valeurs du Royaume.

Il demeure notre seule source de bonheur, jusqu'à l'heure où il pourra enfanter, dans notre intérieur agrandi, la mesure tassée, secouée et débordante de l'évangile.

Notre unique mal, en fait, est de ne pouvoir contenir cette surabondance du don de Dieu qu'est la Sagesse.

La Sagesse

Rien de plus mystérieux que cette insaisissable réalité qu'est la Sagesse !

À travers l'Écriture, elle recouvre des réalités souvent fort éloignées les unes des autres, comme l'état de l'homme parvenu à une grande maturité.

Elle serait aussi l'apanage de l'enfance, à qui sont révélés les mystères du Royaume.

Puis, c'est le visage de la Vierge avec la limpidité de son innocence en même temps que la densité de sa richesse intérieure.

C'est encore l'Esprit du Seigneur qui, sans sortir de lui-même, conduit toutes choses avec aisance et grâce.

Enfin, c'est le Seigneur lui-même.

Connaître notre héritage

Notre héritage est plein de grâce !

En conséquence, pour nous retrouver à l'heure de Dieu, il importe moins de gémir sur nos carences que d'apprendre à contempler l'envergure du capital que nous avons reçu en partage, ce don gratuit qui, du fond de notre être, sans relâche, nous invite à vivre.

Notre mal est un mal de vie !

Dans quelle confusion nous nous retrouverions au dernier jour, si nous allions apprendre que nous avons donné le visage de la mort à la vie, nous qui, à l'exemple du Ressuscité, avions reçu la mission de donner la vie à tout ce qui était déjà mort !

« Ordonne que mes deux fils siègent... »
(Mt 20,21)

Travail jamais terminé

Jacques et Jean ambitionnent la première place, et les autres s'en indignent !

Il y aurait donc désordre à choisir le meilleur ?

En tout cas, à n'en pas douter, c'est là un pénible labeur.

Quel jeu épuisant !

Quel métier extrêmement compliqué !

Quelle entreprise jamais terminée !

Quel objectif continuellement menacé de ruines !

Trop de compétiteurs

Jeu épuisant, parce qu'il s'y trouve trop de compétiteurs.

En ce domaine, la compétition n'a jamais eu de relâche.

Il y aura toujours, pour participer à la course, un nombre excessif d'intéressés, et il n'y aura toujours qu'un seul prix à gagner.

Avec le résultat décevant d'une multitude de frustrés face à un unique gagnant.

L'abondance des participants réduit d'autant les chances d'arriver à ses fins.

Inaccessible paix

Donc, expérimenter la paix seulement à partir du jour où je pourrai avoir la certitude d'être reconnu comme supérieur aux autres...,

et en plus, ne goûter la paix qu'à partir du moment où j'aurai la certitude de conserver toujours cette première place

– car à quoi bon investir tant d'énergies, si demain je dois subir l'humiliation de me voir délogé ? – ,

c'est placer la paix dans un lieu absolument inaccessible !

Cette première place, nous serons toujours menacés de la perdre parce que tous les autres sont aux prises avec le même appétit que le nôtre.

Qui nous délivrera ?

Qui de nous peut dire qu'il est indifférent à la première place ?

Il suffit de voir nos réactions quand on nous désapprouve ou, mieux encore, quand on nous félicite !

Oh ! non ! nous n'étions pas là quand l'indifférence est passée !

Nous sommes toujours en quête de promotion.

Quête avouée ou inconsciente.

Qui nous délivrera de cette éternelle cause d'inquiétudes, de fatigues, de tensions et de complications ?

– L'AMOUR !

La joie d'être méconnu

Étonnant paradoxe : quand nous connaîtrons l'amour, nous cesserons de vouloir aimer plus ou mieux que les autres.

Et même, nous deviendrons indifférents non seulement à la première place, mais aussi à être aimés plus que nos semblables.

Nous aurons plus de joie à voir les autres en possession de ce que nous avions convoité que nous ne pourrions en avoir à le posséder nous-mêmes.

La seule joie de l'amour est le bien de l'autre.

Voilà qui vient dérouter toutes nos approches.

« Il faut que lui grandisse et que moi je décroisse » (Jn 3,30).

Où est-elle cachée, cette joie d'être méconnu et oublié ?

Où se trouve-t-il, ce bonheur qui consiste à voir l'autre réussir mieux que moi ?

Un régime d'austérité

Cette attitude est à l'extrême opposé de nos comportements habituels.

Mais il nous faut gagner encore plus en profondeur pour avoir part à la vérité tout entière.

Ce qui est désordonné, ce n'est pas l'ambition des deux apôtres.

Ce n'est là qu'une simple manifestation du mal, et non le mal en lui-même.

Le vrai mal, le seul mal, est de n'être pas dans l'amour et d'en ignorer pour autant les lois libératrices.

Ce qui est mal, ce n'est pas de convoiter ou d'accepter la gloire, même celle qui me vient des hommes.

Le véritable mal est de ne désirer que cela pour mon propre cœur ; de ne pas aspirer à une joie plus comblante et plus durable ; d'obliger mon cœur à se satisfaire de ce régime d'austérité qui le conduira à la mort.

Dieu nous a créés avec un appétit de plénitude et une capacité de joie totale et sans nuages.

L'unique mal est de faire jeûner notre cœur à la table du bonheur.

La vraie nature du mal

Nous ne connaissons pas l'amour !

Nous ne connaissons pas le mal !

Nous sommes habitués à voir le mal dans nos actes mauvais, ceux dont nous nous confessons d'ordinaire.

Mais les racines du mal sont cachées en nous beaucoup plus profondément.

L'ivrognerie, la luxure, la gourmandise, comme nous l'avons appris à la petite école, ne sont pas mal en tant que choses défendues par la loi.

Si tous ces excès sont condamnables, c'est dans la mesure seulement où la joie qu'ils peuvent nous procurer n'est pas suffisamment rassasiante ;

parce que la satisfaction qu'ils engendrent ne peut pas assurer à notre cœur toute sa ration de joie.

Dieu nous a destinés à la joie pleine, à la joie qui demeure.

Et quand nous refusons à notre cœur cette joie en le nourrissant de ce qui passe et de ce qui déçoit, nous nous manquons de respect.

Nous brisons quelque chose dans le plus bel instrument que Dieu a jamais construit.

Me préparer à l'infini du bonheur

Nos actes mauvais ne sont pas tels en tant que dérogations à un code, à une loi, mais dans la mesure où ils habituent notre cœur à se nourrir de joies imparfaites.

Le seul mal, en fait, le seul péché est **de ne pas choisir le plus grand bonheur !**

Dieu n'a pas d'objection à ce que nous saisissions tous les bonheurs qui sont à notre portée :

« Tout m'est permis » (1 Co 6,12), dira l'Apôtre, mais j'ai le devoir de maintenir mon cœur au centre du plus grand bonheur.

Ce qu'il y a de condamnable, c'est de choisir un bonheur moindre quand un plus grand bonheur nous est accessible.

Tout ce qui m'est interdit est défendu seulement parce que cela ne me donne pas assez de satisfaction, et non pas, comme nous concevons habituellement le péché, parce que je me permets un plaisir illicite.

Tel plaisir ne peut être prohibé que dans la mesure où il est impuissant à me combler.

Par exemple, si la haine est un péché, ce n'est pas d'abord parce qu'elle fait du tort à mon semblable, mais parce qu'elle m'enferme dans un malaise qui m'empêche de respirer librement.

Quelle révolution dans mon approche du mal : **notre unique manière de pécher est de nous refuser au meilleur !**

L'obligation m'a été faite de préparer mon cœur à l'infini du bonheur.

Et manquer à ce devoir est le mal par excellence.

Noyé au cœur de la miséricorde

L'évangile nous dit que la vie éternelle est de Le connaître, Lui, et de connaître Celui qu'il a envoyé (*cf.* Jn 17,3).

La plus grande joie est de connaître l'amour, l'amour qui n'exige rien et ne tient pas compte du mal.

Le péché, ce n'est pas « mes actes mauvais » ;

le péché, c'est de ne pas connaître l'amour qui sauve ;

le péché, c'est de ne pas vivre constamment du plus profond de tous les bonheurs, celui d'être noyé au cœur de la miséricorde, moi, le perdu de toujours.

Capable de folie

Quelle étonnante profondeur cachée dans la loi nouvelle !

Un jour, l'amour nous fera comprendre qu'avoir pour ambition d'aimer Dieu plus que les autres ne l'aiment est un désordre.

La seule ambition qui nous est permise, celle qui est la source de la plus riche de toutes les satisfactions, c'est de trouver précisément le meilleur de notre joie à comprendre que les autres aiment Dieu plus que nous ne l'aimons **et de voir que Dieu les aime davantage que nous !**

Est-ce bien possible ?

Notre cœur est capable d'une pareille folie, celle de Jean, le plus grand des enfants des femmes (*cf.* Mt 11,11).

Et notre cœur vivra toujours dans la privation, si nous lui refusons d'agir conformément à cette loi dont il n'aurait jamais soupçonné l'existence si elle ne lui avait été révélée.

Ma sainteté est celle des autres

Quel étrange combat que le nôtre !

Quelle révolution dans la morale !

Quelle source de liberté pour notre cœur qui n'a plus besoin de performer et de s'engager dans la compétition !

Ma sainteté est celle des autres !

Seul l'Esprit est capable d'inventer de tels chemins.

« La brebis perdue »
(*cf.* Lc 15,1-32)

La revendication ou la paix

Aux jours de mon enfance, ma mère avait donné asile à un mendiant.

Le premier soir, l'étranger se confondait en protestations d'indignité et ne tarissait pas d'éloges sur cette famille qui l'avait si généreusement accueilli.

Le deuxième soir, il était comme chez lui dans notre maison ; l'émerveillement avait déjà disparu.

À la fin de la troisième journée, nous n'avions plus la permission de jouer, nous, les enfants, parce que le bruit dérangeait ce monsieur.

Maman l'a prié de partir.

Tout lui était dû.

Cet homme avait goûté un seul moment de paix, celui de son entrée chez nous.

Dès qu'il s'est cru autorisé à avoir des droits, il a commencé à perdre sa paix et nous a enlevé la nôtre.

La discrétion de la vie

Tous, nous avons été bouleversés par les larmes de repentir de la pécheresse et avons rêvé d'imiter le radicalisme de sa conversion.

Puis, nous nous sommes étonnés de voir le Prodigue revenir à la maison sans avoir le cœur brisé par son péché, mais avec la seule espérance de remplir son ventre : que lui restait-il à celui-là comme dispositions intérieures pour avoir droit au pardon ?

En bout de ligne, il y a la brebis perdue qui, elle, ne se donne pas la peine de revenir au bercail : aucune forme d'ennui, pas même un retour intéressé, comme chez l'enfant perdu, et surtout pas une once de repentir, pas une lueur de ferme propos.

Rien de sa part.

Sans qu'il y paraisse, c'est peut-être ici que l'audace révolutionnaire du Christ est allée le plus loin.

Les manifestations de la vie se font souvent discrètes, à la mesure même de leur richesse et de leur intensité.

En éternelle instance de salut

Nous avions espéré qu'un jour la fidélité nous deviendrait possible.

Et puis, l'éternité allait faire de nous des êtres enfin « dignes » de l'amour.

Mais le rêve de l'Esprit allait au-delà de nos visées humaines.

Plus sa lumière nous possède, plus il nous révèle notre inguérissable indigence.

Et plus profondément nous descendrons dans le mal qui nous habite, plus se manifestera l'inexplicable miracle d'une miséricorde qui enveloppe en proportion de la misère qui se présente devant elle.

Un peu à la manière d'un liquide qui, comme l'essence, active le feu au lieu de l'éteindre.

Notre âme est une terre de perdition en éternelle instance de salut.

Le sommet de toute contrition

La brebis égarée n'a rien à son actif.

Elle est réduite à tout recevoir sans pouvoir rien apporter.

En définitive, il ne lui est demandé qu'une chose : consentir au salut dont elle a été prévenue.

Si c'était là, pour nous, la plus haute forme de correspondance à la grâce qui nous est demandée, le sommet de la contrition que Dieu attend de nous ?

Cela, non parce que Dieu l'exige, non parce que Dieu veut être seul à sauver, mais parce que Dieu sait bien que notre cœur ne pourra connaître la paix définitive qu'au jour où nous ferons l'expérience d'être suffisamment aimés pour être sauvés alors même que nous avons tout perdu.

La béatitude du « rien »

Nous sommes pure capacité d'accueil.

Il nous faut être visités par l'amour jusque dans le dernier fond de notre détresse.

Il nous faut être réduits à tout recevoir sans pouvoir rien offrir en retour, nous qui nous étions fait une obligation de correspondre à la grâce, de nous en montrer dignes par la générosité de notre réponse.

L'Esprit s'affaire à construire en nous la béatitude du « rien ».

« Alors que nous étions fils de colère, Dieu a pris l'initiative de nous sauver » (*cf.* Ép 2,3-5).

Elle est subtile, la tentation qui nous pousse à croire que la générosité de notre réponse conditionne le don de Dieu et qu'elle est plus importante que le choix original et spontané de Dieu.

Nous ne connaissons rien à la gratuité de l'amour !

Nous n'en avons aucune expérience !

Baignés dans l'amour qui sauve

1- Trouver tout à fait normal de voir Dieu nous embrasser au moment même où nous lui crachons au visage [1] ;

2- accepter de recevoir à pleines mains lorsque nous avons démérité de toute manière ;

3- consentir à recevoir la première place avant ceux qui ont été plus fidèles que nous, c'est là le jeu déroutant auquel l'Esprit veut nous initier.

En arriver à avoir spontanément de telles attitudes, c'est avoir un cœur parfaitement évangélisé ; en vivre chaque jour, c'est être préparé à entrer dans la gloire où nous baignerons définitivement, non pas dans l'amour, mais dans l'amour qui sauve.

Originalité du salut chrétien

On a souvent bien du mal à distinguer l'originalité du christianisme des réalisations les plus sublimes de l'hindouisme ou du zen, par exemple.

On réfute habituellement l'existence de la réincarnation par son incompatibilité avec la résurrection.

Mais il nous suffirait d'exploiter cette seule parabole de la brebis perdue pour mettre toutes choses en pleine lumière.

Ultime exigence

En terre chrétienne, il n'y a qu'une sorte de perfection : non pas celle à laquelle j'arriverais après des milliers de réincarnations, mais celle où j'accepte que l'amour me sauve quand je n'en suis pas digne ; une seule forme de contrition : celle où le débordement de la miséricorde vient

---

[1] Nous agissons, en fait, comme si nous n'avions jamais lu la parabole du fils prodigue et celle de la brebis perdue.

envahir mon fond de péché ; une seule forme de prépara-tion : celle où j'ai la surprise de me voir en tout prévenu et devancé par la grâce.

Tout cela est infiniment plus exigeant pour le cœur mal apprivoisé que l'héroïsme demandé à ceux qui aspirent au nirvana ou au satori.

« La Parole est dans ton cœur, sur tes lèvres »
(Dt 30,14)

« Sois ! »

À l'origine, avant que le monde fût, la Parole était.

C'est grâce à elle que toutes choses sont sorties du néant.

Un jour, cette Parole a dit : « Sois ! », et je fus.

Et depuis, pour toujours, je serai.

Donner le jour à mon Dieu

Or, voilà que surgit un bouleversant miracle.

Les rôles sont renversés :

après m'avoir enfanté, la Parole vient me dire que, moi-même, je la porte en moi.

« La Parole est dans ton cœur » (Dt 30,14).

Elle m'appartient plus et mieux qu'un enfant n'appartient à la mère qui le porte en son sein.

Avec ce résultat :

tout ce que cette Parole a fait sortir du néant depuis les origines, j'en deviens rétroactivement le créateur, puisque la Parole est éternellement actuelle : « Aujourd'hui, je t'ai engendré » (Ps 2,7).

Si j'autorise la Parole à donner libre cours en moi à son inexplicable fécondité, il m'advient ce qui fut un jour le privilège exclusif de la Mère de Dieu :

je puis donner le jour à mon Créateur ;

je permets à la Parole de vivre en moi et par moi.

La vie multipliée

Et quand nous nous réunissons en Église, nous nous aidons mutuellement à faire reculer les limites du possible.

Après la mort du Christ, l'espérance était morte au cœur des disciples.

Survient Marie qui affirme avoir vu le tombeau ouvert et vide.

Et voici les disciples d'Emmaüs qui ne se contiennent plus de joie.

Et encore, c'est l'apparition à Pierre, puis aux douze.

Les témoignages convergents finissent par créer un courant irrésistible qui dépasse infiniment la somme de ce que chacun a pu apporter.

La vie de chaque individu se voit multipliée par l'expérience des autres.

En héritant de la richesse de l'ensemble, chaque membre est passé dans un autre ordre de valeurs, celui de la foi surnaturelle.

L'expérience d'une présence

Dans tout groupe humain, quand un but commun cimente la communauté, il arrive que les résultats excèdent la simple addition des forces présentes.

Mais la communauté de foi a ceci de particulier et d'exclusif, à savoir que l'agir tout-puissant de Dieu s'y manifeste.

Un démagogue peut déclencher une hystérie collective, mais son intervention s'achève dans le vide et la désolation.

En climat chrétien, la réalité nouvelle qui est en gestation au fond de l'être n'est pas le simple résultat d'un surchauffage des émotions, mais l'expérience d'une vive présence, celle qui soutient le monde.

Une lumière qui vient d'ailleurs

Dans la conscience aiguë de notre pauvreté, nous envions bien souvent la richesse des autres, quand nous nous comparons à eux.

Mais dans une communauté chrétienne, c'est là un contresens, parce que le capital de chacun et la richesse de toute la communauté rassemblée sont ma richesse strictement personnelle.

Communauté chrétienne : confirmation réciproque dans une impossible vérité.

Communauté chrétienne : actualisation de tout le mystère de Dieu dans un peuple de pécheurs.

Communauté chrétienne : mutuelle transfusion d'un incroyable contenu.

Communauté chrétienne : continuelle incarnation d'un miracle de grâce dont nous sommes trop souvent les acteurs distraits.

Communauté chrétienne : révélation de la beauté de nos visages transfigurés.

Ici, le social et le psychologique, sans être reniés, doivent apprendre à céder la première place : la lumière vient d'ailleurs.

« La Parole est dans ton cœur. »

Aurons-nous l'audace d'exploiter à fond cette vérité, ou nous laisserons-nous porter par elle, paresseusement ?

Lui accorderons-nous la permission de créer en nous, **à même nos espaces de pauvreté,** la richesse des interminables printemps de Dieu ?

La parole substantielle

Il y a quelques semaines, j'ai entendu le cri nostalgique des oies sauvages dans leur vol migratoire et j'en ai été bouleversé.

En me traversant l'âme, le rire limpide d'un enfant m'a conduit jusque dans les profondeurs ignorées de mon propre mystère.

Des phénomènes aussi simples et quotidiens remuent les fondements mêmes de mon être.

Dès lors, comment la Parole substantielle serait-elle impuissante à faire sortir de son tombeau le demi-mort que je suis ?

Vivre au-delà de nous-mêmes

Dans la communauté de foi, il y a cette surprenante anomalie :

la présence et le visage d'un baptisé me parleront souvent avec moins de force que l'appel des oies sauvages.

La chose s'explique pourtant :

dans l'ordre de la grâce – le nôtre – , nous n'entendons pas d'abord avec nos oreilles ni même avec notre intelligence, mais avec notre capital intérieur.

C'est notre intensité de vie qui mesure notre capacité de percevoir, conformément à cette inacceptable vérité de l'évangile :

« À qui a, l'on donnera et il aura du surplus ; mais à celui qui n'a pas, on enlèvera ce qu'il a » (Mt 25,29).

Vivre notre foi en communauté, c'est accepter de nous voir continuellement prévenus, surpris par la grâce, portés par un courant qui est plus fort que nous ; en un mot, c'est vivre au-delà de nous-mêmes tout en étant conduits au plus vrai de nous-mêmes.

Il est bien rare que nous nous rassemblions autour de la Parole et du Pain en accordant toute sa place à cette réalité qu'est le Corps du Christ.

Quand mon mal m'accable

Mais tout cela ne suffisait pas à l'Esprit du Seigneur.

Le plus renversant, le voici :

c'est ma pauvreté qui devient l'aliment principal sur la table de la communauté ;

c'est l'insignifiance de ma vie qui féconde l'assemblée sainte.

La stérilité qui m'accable enfante la joie de l'Église.

Vous en doutez ?

Vous êtes tentés de mettre des bémols sur de telles affirmations ?

Mais n'est-ce pas l'indigence du Prodigue qui engendre une fête sans bon sens ?

Si l'échec a marqué ma trajectoire, je n'en suis pas moins celui qui donne le plus de joie au Père.

Moi l'ingrat, moi l'infidèle, moi le méprisable qui, effectivement, suis méprisé, je puis nourrir mon Créateur, après l'avoir fait revivre par ma seule présence.

Et, dans le rayonnement de cette fécondité infinie, j'enfante aussi la communauté.

C'est parce que l'enfant perdu a rempli de joie le cœur du père que toute la maisonnée peut entrer en liesse.

Avec cette conclusion que la maison doit vivre désormais du débordement de la joie que le Père puise en moi.

Pourquoi donc cette tristesse quand mon mal m'accable ?

Aurais-je alors oublié le plus important de l'évangile ?

Le grenier du monde

Un jour, Dieu s'est compromis. Il m'a dit : « Tu es mon fils. »

Par cette parole, il s'est lié pour le temps et pour l'éternité.

Il s'est engagé à ne prendre qu'en moi sa complaisance (Mt 17,5).

Il venait de décréter que, désormais, le monde ne pourrait vivre que du débordement de mon être.

Voici la loi : le monde ne peut vivre que par la joie de Dieu, et Dieu puise en moi **toute sa joie !**

Se refuser au « non-sens » d'une telle affirmation, poser des limites à une telle extravagance de langage, c'est éteindre le plus beau de l'Esprit, c'est restreindre le plus pur de la joie du Père.

Vivre, c'est accepter une telle loi et en devenir le témoin au cœur du monde.

Dans la pénombre du quotidien

L'amour n'a pas fini de me scandaliser !

Et le jour où j'aurai enfin accepté son miracle, ce jour-là, l'amour me révélera ce que j'ignorerai encore de lui, ce qu'aujourd'hui je suis incapable d'accepter comme révélation.

Ta maison, c'est la joie engendrée.

Ta mission, c'est de retenir sur toi toute l'attention de Dieu.

Ta raison de vivre, c'est de nourrir le monde par la seule richesse de ta présence.

Ta raison d'être, c'est d'indiquer à la lumière son chemin.

Tout cela, non dans l'éclatement du miracle, mais dans la pénombre pacifiée de ton quotidien.

Comme un phare dans la nuit

La Parole entendue n'est pas faite d'abord pour être mise en pratique à la manière d'un commandement ; elle est faite pour être « éprouvée » : « FRÉMIS D'ÉLOHIM ! »

Le croiras-tu ?

La bonté que tous attendent, elle a sa source au creux de tes mains ;

la fécondité dont tu rêves, elle est enveloppée dans tes gestes les plus simples ;

la joie qui guérit de toute tristesse, elle surgit sous chacun de tes pas de baptisé ;

la lumière que tu cherches depuis toujours, elle scintille au fond de tes yeux.

Comme un phare dans la nuit, tu es toi-même demeuré dans l'ombre, mais tous ceux qui sont passés près de toi ont bénéficié de ta lumière.

Une large part de déraisonnable

Quelle aventure que la nôtre !

Quand auras-tu accès à ce que Dieu a fait de toi ?

Tu disposes à ton gré de la Sagesse, elle est ta joyeuse servante.

Tu n'as pas la permission de retenir ta puissance créatrice, le monde en est tributaire.

Quand ta raison et ton « bon sens » freinent le cours des eaux qui attendent de jaillir de ton sein jusque dans la vie éternelle, tu commets une injustice envers le monde qui ne peut vivre que de ta surabondance.

Il y a une large part de déraisonnable dans l'appel que tu as reçu.

Es-tu disposé à l'accepter ?

À partir de l'échec

Que nous arrive-t-il ?

Aurions-nous oublié de vivre ?

Il y a tant et tant d'espérances déçues dans notre existence, tant d'expériences morcelées !

Pendant ce temps, la Sagesse danse devant son Créateur.

En dépit de nos tares, notre vie demeure un trop-plein qui ne peut s'empêcher de déborder ;

un trop-plein qui jaillit à partir de l'échec [2] et non d'un capital acquis.

Nous sommes si souvent tentés de rogner sur la Pâque du Christ en la réduisant au seul matin de la résurrection.

Elle est aussi actuelle et vivifiante pour nous qu'elle pouvait l'être pour Marie, lorsque, à l'aube du grand matin, elle s'est entendu appeler par son nom.

Comment gérer la réussite ?

Notre capital de bonheur est une réalité qui circule entre deux abîmes :

notre état de perdition et l'infini de la miséricorde.

Une loi ineffaçable est inscrite au fond de chacun de nous ; elle exige que nous sondions l'abîme de notre mal pour ouvrir notre désir à tout l'infini du salut qui nous est offert.

Nous n'aurons jamais l'audace de réclamer tout notre dû de consolation si nous n'avons pas mesuré toute l'envergure de notre désolation.

---

[2] J'ai contemplé des amoureux qui jouaient au tennis. Quand une balle avait la malencontreuse idée de s'arrêter dans le filet, les deux profitaient de cet échec pour se retrouver au centre du court et s'embrasser ! Le coup manqué devenait ainsi le point culminant de leur divertissement.

Nous avons rêvé de succès et de fécondité, mais l'aisance et la réussite resteront toujours pour nous les réalités les plus dangereuses et les plus difficiles à gérer.

Il nous faut apprendre à faire les choses « comme ne les faisant pas » (*cf.* 1 Co 7,29-31).

Le plus admirable

Mais si tu gémis de te voir encore bien éloigné des espaces de la lumière, sache-le, il y a l'autre face de la vie, plus lumineuse encore que ce qui vient d'être évoqué.

Oui, il est quelque chose de plus admirable que tout ce qui précède :

c'est de souffrir de l'absence ;

c'est d'être torturé par cette infécondité qui te dessèche le cœur ;

c'est de gémir sous le poids de ta faute, sans pouvoir trouver le chemin qui déboucherait enfin dans la lumière et dans la joie.

Mieux que l'accomplissement de tes rêves

Console-toi :

tu ne peux souffrir du vide que dans la mesure où tu fais l'expérience de la plénitude.

Expérimenter la douceur de la componction vaut infiniment mieux que d'être noyé dans les eaux de la consolation : tu risques alors de te voir étouffé dans la complaisance en tes victoires.

Reconnaître ton infidélité en présence de l'amour vaut infiniment mieux que toutes les œuvres que tu aurais pu accomplir et que la réalisation de tous les rêves que tu aurais pu inventer.

La valeur la plus sûre

Souffrir de ton manque à être est une valeur plus sûre que de nager dans la lumière et dans l'onction.

Prends-en à témoin l'attitude du publicain agenouillé au fond du temple.

Si tu en doutes encore, prête l'oreille à Celui qui s'est dit la Vie du monde et qui, au sommet de son expérience, devait confesser : « Mon Dieu, pourquoi m'as-tu abandonné ? » (Mt 27,46).

« Pour vous, qui suis-je ? »
(Mt 16,15)

Comment expliquer ?

Vous êtes-vous déjà demandé pourquoi Dieu a permis que nous ayons tant de questions sans réponses ?

Et pourquoi il nous laisse aux prises avec nos éternelles faiblesses ?

Pourquoi nous cache-t-il l'avenir, cet avenir qui nous enveloppe de peurs ?

Il doit y avoir une raison qui justifie un tel comportement de sa part.

Le charisme par excellence

À notre point de vue, si tout était clair et si nous étions toujours exaucés conformément à nos désirs, il est certain que tout irait pour le mieux dans le meilleur des mondes.

Mais quand nous désirons plus de lumière – et la chose nous arrive si souvent ! –, sommes-nous bien sûrs d'être alors sous la mouvance de l'Esprit du Seigneur ?

Sommes-nous convaincus d'agir en conformité avec notre propre cœur ?

Quand nous insistons pour avoir plus de force et de fidélité, quand nous demandons la grâce de prier avec plus de constance et de ferveur, avons-nous l'assurance d'obéir au meilleur de la grâce ?

Non qu'une telle prière soit mauvaise, mais il en est ici comme des charismes dont parle l'Apôtre : ils sont tous enviables et tous viennent de l'Esprit, mais il est un charisme supérieur, celui de la charité.

Délaisser ce que nous avions privilégié

Face aux événements, aux personnes et, en tout premier lieu, face à nous-mêmes, nous accumulons déception sur déception.

Au long de nos parcours, Dieu brise nos idoles, redresse nos chemins, ouvre notre esprit et notre cœur à des défis que nous ne connaissions pas, et nous oblige à délaisser ceux que nous avions privilégiés, ceux auxquels lui-même nous avait un jour initiés, comme la mère qui invite son enfant à suspendre à l'âtre son bas de laine.

La célébration de ce qu'est Dieu

Pour nous, l'essentiel se joue ailleurs que dans cette sorte de combat sans issue.

Notre avenir et notre accomplissement ne sont pas dans les rêves de perfection que nous bâtissons tout au long du jour.

Le genre de succès que nous convoitons est rarement dans la ligne des victoires de Dieu.

En nous laissant avec tant de questions sans réponses, Dieu veut nous initier à la grâce d'un autre combat, un combat qui, en fait, n'en est plus un : la célébration de la bonté de Dieu qui triomphe de notre péché, célébration qui jaillit non à partir de ce qui vient de nous, ni même de ce qui nous vient de Dieu, mais à partir de ce qui est en Dieu et de ce qu'est Dieu.

La discrétion de l'Écriture

Dans une œuvre d'art, les détails qui caractérisent le génie échappent à l'attention des profanes, des non-initiés.

De même, dans l'ordre de la grâce, le meilleur fruit de l'Esprit demeure longtemps hors de nos approches.

L'Écriture elle-même se fait extrêmement discrète en ce domaine.

Seules quelques allusions, parcimonieusement semées ici et là, comme

« **la meilleure part** » de Marie (Lc 10,42), bijou noyé dans une mer de commandements, de préceptes et de conseils, et le « **Venez acheter sans argent** » d'Isaïe (55,1).

La règle des moines

Le monument de sagesse qu'est la règle des moines d'Occident consacre un grand nombre de chapitres à ce qui a trait aux observances, à la prière chorale et individuelle, au travail des mains, etc.

À la toute fin, une seule petite phrase est insérée pour laisser entendre qu'un autre lieu existe où la liberté jaillit dans la joie :

« Quand le disciple aura accompli tous ces préceptes, la douceur de la charité lui donnera de courir avec joie dans les voies de Dieu. »

La pauvreté et notre vertu

Dans la vie des saints, c'est aussi très sobrement que se manifeste cette loi étrange de « la perle rare ».

Au moment de mourir, saint Thomas d'Aquin demande qu'on veuille bien jeter au feu toute son œuvre colossale, celle qui allait nourrir la pensée théologique pour les siècles à venir.

Il qualifiait tout cela de « paille inutile ».

Comme lui, c'est face au bien suprême que nous pourrons mesurer un jour l'inutilité de ce que nous aurons réalisé de meilleur, de ce qui nous était apparu comme le plus important.

Notons que l'œuvre théologique en question était le fruit d'une intelligence suréminente, sans rapport avec le cheminement spirituel du saint.

Mais, au dernier jour, c'est notre « vertu » elle-même que nous désirerons voir jetée au feu, tant elle nous apparaîtra pauvre et décevante, elle en qui nous mettons tout notre espoir, elle sur qui trop souvent nous faisons reposer notre paix, la nôtre, celle qui est sans lien de parenté avec celle de l'Esprit.

Fondations trop fragiles

La paix de l'Esprit est d'un autre ordre.

Il vient, ce monde où notre péché produira paradoxalement le meilleur de notre joie, ce monde où notre vertu engendrera en nous une inguérissable tristesse.

Qu'en est-il de la tristesse ressentie face à notre péché ?

– Elle révèle que notre joie veut trouver sa source ailleurs que dans l'infini de la seule miséricorde.

Notre vie se condamne ainsi à être imparfaite et toujours insatisfaite, alors que Dieu rêve pour nous d'une joie pleine, d'une joie qui demeure, et non d'une joie qui, reposant sur les fondations trop fragiles de nos dispositions, risque de s'écrouler à chaque instant.

Notre inconstance et l'inconsistance de notre fidélité sont si manifestes !

La sécurité de nos prisons

Nous avons vu que, dans l'Écriture, dans la règle des moines et dans la vie des saints, le mystère de la consolation et celui de la joie parfaite se font extrêmement discrets.

Ils sont toujours noyés dans un flot de paroles et d'attitudes d'où il est bien difficile de les distinguer.

Cette loi vaut aussi pour notre propre vie :

l'Esprit Saint construit en nous ces mêmes points de lumière qui percent dans la vie des saints, mais nous avons tellement de mal à les discerner !

Nous sommes toujours aux prises avec nos approches humaines qui viennent contredire les approches de la grâce.

Nous sommes comme saint Pierre chez le païen Corneille :

à ses yeux, le bon Juif qu'il était ne pouvait demeurer fidèle à son Dieu en pénétrant chez un païen.

Seul l'Esprit peut nous contraindre à immoler l'instabilité de nos assises pour entrer dans sa liberté souveraine.

Nous nous obstinons bien longtemps à préférer la sécurité de nos prisons à la liberté qu'il nous offre.

« Nous sommes inexcusables » (*cf.* Rm 1,20)

La principale excuse que nous apportons pour nous dispenser d'entrer dans cette liberté toute nouvelle, c'est que nous ne sommes pas parfaits, que notre vie est remplie d'infidélités.

À ce point de vue, l'évangile est bien consolant.

À Césarée de Philippe, Pierre est surpris par une importante révélation intérieure : il discerne dans la personne du Christ « le Fils du Dieu vivant » (Mt 16,16).

Cet effet de la grâce en lui n'est assurément pas le résultat de sa perfection et encore moins de sa compréhension du mystère du salut, puisque, très bientôt, il manifestera son manque de lumière surnaturelle en désirant éviter au Christ la montée vers Jérusalem.

Plus tard, il reniera aussi son Maître.

Au fond du Temple

L'Esprit n'attend pas nos victoires ni nos vertus pour s'emparer de nous.

Au contraire, c'est en saupoudrant nos victoires d'amertume et de déceptions qu'il nous saisira et viendra à bout de nos résistances.

Le baptisé ne doit tirer sa joie que de ce qui vient de Dieu, aucunement de ce qui vient de lui, même lorsque, avec la grâce de Dieu, il réussit.

Pour le temps et pour l'éternité, sa place est avec le publicain, au fond du Temple :

là seulement peut se goûter la paix qui ne passe pas, celle que la main de l'homme ne peut construire.

Voilà pourquoi Dieu ne nous donne pas toutes les lumières que nous lui demandons.

Voilà pourquoi aussi il nous laisse avec nos faiblesses et nos pauvretés :

à ses yeux, il est préférable pour nous d'être constamment aux prises avec nos faiblesses plutôt que de dominer notre médiocrité et de risquer ainsi de ne pas compter exclusivement sur l'amour sauveur.

Allons-nous ramener Dieu à l'ordre ?

C'est que Dieu a préparé pour nous une béatitude que nous ne connaissons pas :

notre bonheur ultime est de savoir que l'amour dont nous sommes aimés n'a pas à être acheté par nos actes.

Un instinct « mal éclairé ! » – si on peut dire – fait que nous aimerions mieux être aimés à la mesure de notre amabilité, alors que la réalité est autrement plus consolante :

nous sommes aimés à la mesure de l'amabilité de Dieu [3].

Et la chose la plus désolante, c'est que nous nous désolons d'être aimés de cette auguste manière !

---

[3] « Je me suis laissé trouver par qui ne me cherchait pas.
    J'ai dit : ‹ Me voici ! me voici ! ›
    à une nation qui n'invoquait pas mon nom » (Is 65,1).

Dieu a rêvé pour nous d'une joie et d'une paix qui sont immuables et éternelles comme lui-même,

d'une paix qui est à l'abri de notre infidélité, et nous nous en attristons !

Serait-ce là un bien trop grand pour nous, que nous ne puissions l'apprécier et le goûter ?

Est-ce que nous n'allons pas ramener Dieu à l'ordre en le suppliant de nous donner une paix et des joies qui soient à notre seule mesure ?

La folie de la grâce

Dans quel champ de lumière paradoxale l'Esprit ne nous conduit-il pas ?

Au jour de la grande lumière, **avoir encore souci de ma perfection peut devenir un crime de lèse-majesté !**

Me réjouir du pardon accordé et m'attrister de mon péché apparaîtront alors à mes yeux comme la manifestation d'une impardonnable méconnaissance du cœur du Père.

Je serai amené à croire à cette folie de la grâce que seuls mes manques de folie peuvent limiter.

J'ai la valeur de Celui qui me regarde

Au fond de tout cela, la difficulté majeure est de comprendre que Dieu n'est pas comme nous, motivé par ce qui est extérieur à lui.

Nous faisons nos choix d'après ce que nous voyons et entendons.

Dieu, lui, fait ses choix uniquement à partir de ce qui vient de lui :

peu importe l'état de celui qui est devant lui, son regard a le pouvoir de rendre bon tout ce sur quoi il se pose.

Nous, nous sommes rendus bons ou mauvais par ce que nous regardons : édification ou scandale.

Je ne suis pas évalué par Dieu d'après ce que je possède en mal ou en bien, mais seulement d'après ce qu'il y a à l'intérieur de Dieu, d'après le capital même de Dieu.

Je prends la valeur de Celui par qui je suis regardé.

Ma vertu, c'est Dieu !

Chaque fois que, dans ma communion avec Dieu, viennent interférer mon bien ou mon mal, c'est que je cesse d'être attentif uniquement à Dieu.

Dans l'éternité, nous serons incapables de pécher parce que nous serons fixés en lui sans pouvoir nous en séparer.

Fixés non par une contrainte extérieure, mais par un attrait irrésistible, irrésistible parce que souverainement comblant.

Ce qui amenait Thérèse de Lisieux à dire que **sa vertu à elle, c'était le Bon Dieu !**

Quelle délivrance et quelle plénitude !

« Le plus grand parmi vous
sera votre serviteur »
(Mt 23,11)

Une promotion

Personne n'aspire spontanément à la dernière place.

Tous, nous en avons peur !

Nous y consentirons peut-être parfois, mais à la condition de la choisir nous-mêmes.

C'est alors **une promotion...**

Si les autres nous l'imposent, **c'est le drame !**

Notre insécurité native

Nous sommes tellement menacés !

Ce ne sont pas nos blessures, comme nous le pensons trop souvent, qui nous ont rendus aussi inquiets et vulnérables.

À peine le tout jeune enfant a-t-il commencé à respirer qu'il cherche instinctivement l'épaule protectrice sur laquelle il pourra dormir en paix ou pleurer tout son chagrin.

L'angoissante solitude

Nous vivons dans la crainte continuelle de n'être pas aimés, reconnus et appréciés.

Notre insécurité a des racines beaucoup plus profondes que nous ne le pensons.

Les blessures reçues au cours de notre vie n'expliquent pas la peur qui nous hante parfois.

Cette peur est un élément constituant de nos couches souterraines, de notre capital génétique.

La solitude étreint et angoisse notre monde.

C'est, par excellence, le drame de notre temps, plus menaçant que la guerre nucléaire : **la solitude touche, en effet, des millions d'humains, et elle les mord à une profondeur que l'énergie nucléaire elle-même ne pourra jamais atteindre.**

Paradoxe : la solitude règne en souveraine incontestée à cette heure où les moyens de communication, très développés, mettent tous les humains en contact les uns avec les autres.

Comme si la communication avait non seulement détruit la communion entre les personnes, mais **divisé l'individu lui-même jusqu'en son propre intérieur.**

L'évangile nous protège

Pourquoi, dans un tel contexte, le Seigneur vient-il nous demander de nous effacer ?

Pourquoi vient-il ajouter à notre drame, lui qui connaît si bien notre manque de confiance et de certitude ?

C'est précisément parce qu'il sait à quel point nous avons besoin d'être sans cesse « affermis » que le Maître nous conseille de ne pas asseoir notre sécurité sur des fondations aussi peu solides que l'estime des autres ou l'efficacité de notre agir.

Ce genre de protection est trop précaire, il pourrait nous manquer à tout instant !

Notre instabilité est telle que les fondements sur lesquels nous rêvons de faire reposer notre paix ne feraient jamais le poids.

Notre fragilité demande des assises à l'épreuve de toutes les tempêtes qui peuvent nous surprendre en chemin.

L'évangile ne nous pousse pas au découragement quand il nous demande d'abandonner tout ce qui pourrait nous décevoir ou nous trahir.

Il nous avertit seulement d'être bien prudents et d'établir notre paix sur les bases les plus fiables qui soient.

La performance ou la communion

Depuis toujours, notre pauvre cœur rêve de se voir noyé dans l'amour et dans la communion.

Le fond de notre âme nourrit le rêve de se voir reconnu dans toute la profondeur de son insondable mystère.

Et, en dépit de cela, dans notre désarroi de n'être pas reconnus ou appréciés, **nous sommes trop souvent tentés de choisir délibérément la « reconnaissance officielle » au détriment de la « communion ».**

La fidélité de l'amour

Nous sommes plus attentifs à l'efficacité fonctionnelle qu'à la protection de nos espaces intérieurs.

Nous préférons changer la face du monde plutôt que de nous ensevelir dans les espaces silencieux de la grâce et de la beauté.

Nous profanons la vie.

Nous profanons notre vie !

Nous connaissons si mal la nourriture nécessaire à notre monde intérieur !

Qui pourra nous rendre à nous-mêmes ?

Dieu sait que notre cœur ne goûtera le véritable repos, celui auquel il aspire, qu'au jour où nous aurons l'assurance d'être aimés sans possibilité d'abandon.

Mais pour connaître un tel amour, il nous faut perdre tout ce que nous avons construit, renoncer à ce que nous avons mis en place durant toute une vie.

Et cela nous est si douloureux !

Or, c'est précisément cette souffrance, et elle seule, qui nous éduque le cœur à la vérité.

Désolation et paix

Notre cœur a-t-il été suffisamment broyé par la déception ?

Notre intérieur a-t-il été assez profondément labouré par la déchirure de l'abandon ?

Notre âme a-t-elle eu toute sa ration d'amertume et de détresse pour détecter à l'avance la futilité de nos rêves de bonheurs trop faciles ?

Tous, nous avons à traverser le champ immense de la désolation avant d'atteindre la mer infinie de la paix.

Le bonheur facile n'est pas sorti des mains de Dieu !

Pas plus qu'un enfant n'a jamais quitté le sein de sa mère sans lui imposer une souffrance.

La facilité de nos bonheurs en mesure la futilité.

La menace du pouvoir

Nous rêvons d'avoir.

Nous rêvons de savoir.

Nous rêvons de pouvoir.

Mais notre volonté ignore la nourriture dont elle a besoin.

Notre intelligence est impuissante à nous engendrer à la vie.

Un cœur non initié à l'amour ne pourra jamais bénéficier des services d'une intelligence brillante [4].

Le pouvoir est menaçant pour le cœur et ses valeurs.

Pensez-vous que c'est par pure coïncidence que l'évangile vise ceux qui sont en autorité ?

À n'en pas douter, il y a là un sous-entendu.

L'autorité dont nous rêvons risquera toujours de jouer contre nous, si elle ne nous est pas un poids accablant.

« Sans compter le souci de toutes les Églises » (2 Co 11,28).

Un bonheur qui se suffit

C'est l'amour qui dirige le pouvoir.

C'est l'amour qui féconde le vouloir.

C'est l'amour qui éclaire le savoir.

C'est l'amour qui maintient le savoir à l'intérieur de la vie.

En dehors de l'amour, les plus belles réalités ne sont plus que stériles beautés et profanation du sacré.

L'amour, lui, sépare de tout pour envelopper l'être dans un bonheur plein qui se suffit à lui-même.

Les amoureux n'attendent pas la confirmation des autres pour vivre leur béatitude.

Au contraire, ils aspirent à être seuls.

Ils s'éloignent et abandonnent volontiers le devant de la scène à tous ces désolés de l'existence qui attendent comme nourriture l'admiration ou même l'adulation de leurs semblables.

---

[4] Hitler et Staline nous en donnent la preuve.

Les espaces du cœur

Mais attention : choisir la dernière place afin de nous conformer à ce que demande l'évangile est une bien maigre performance !

Comme les amoureux, nous devons en arriver à choisir la dernière place et l'effacement parce qu'un mouvement intérieur nous y pousse d'une manière irrésistible, la vie ne pouvant passer qu'à la faveur de cette sorte de pénombre.

Le cœur exige des espaces vierges pour respirer librement.

Le miracle

« Quiconque s'élèvera sera abaissé » (Mt 23,12).

Cette parole n'est pas une menace.

Pour qu'elle soit bien comprise, il faut la paraphraser en disant : « Si tu as besoin d'être vu et apprécié, c'est que tu ne connais pas encore la béatitude totale, celle de l'amour qui se suffit à lui-même. »

L'amour engendre sa propre joie, voilà le miracle !

Toute joie qui vient d'ailleurs ne parviendra jamais à remplir les espaces de notre cœur.

« ...ux, comme votre Père est ...cordieux »

(Lc 6,36)

Le défi du pardon

Le pardon est le défi par excellence du chrétien.

Son obligation est incontournable ; pourtant, en maintes circonstances, nous nous sentons impuissants à le donner du fond du cœur.

Péguy se réfugiait dans l'Ave Maria, se disant incapable de réciter le Pater, à cause précisément de cette exigence du pardon qui dépassait ses forces.

Le pardon est le plus grand acte que nous puissions poser, car si la charité est le premier et le plus grand de tous les commandements, le pardon, lui, est l'acte de la plus haute charité.

Si donc nous ne pardonnons pas, nous manquons à la charité et, de surcroît, nous agissons de manière à n'être pas pardonnés au dernier jour.

La béatitude du pardon

Mais quand nous disons qu'il nous est difficile de pardonner, avons-nous pensé que, pour Dieu, pardonner est la plus comblante des béatitudes ?

C'est toujours le manque de vérité qui nous rend pénible, voire impossible, ce qui nous est demandé par l'évangile.

Si nous savions plus exactement ce que l'évangile nous demande quand il nous presse de pardonner, le pardon nous deviendrait aussi facile qu'à Dieu, il serait le meilleur de notre béatitude, une fête.

Le problème

Face à l'offense, face à l'injustice, la douleur nous traverse l'âme et le cœur, et ce mal demeure.

Nous ressentons le besoin de faire la vérité, de voir l'offenseur reconnaître ses torts, réparer le mal qu'il nous a fait, et nous restons là, souvent incapables de pardonner « du fond du cœur ».

Au premier chef, c'est ce « fond du cœur » qui fait problème pour nous.

La nature du pardon

À notre sens, si, à la suite d'une injustice, nous pouvions arriver à tout oublier, ce serait là agir le plus chrétiennement possible.

Il peut y avoir lâcheté à pardonner en faisant comme si de rien n'était.

Pour nous, pardonner, c'est oublier l'offense, c'est vivre en face de l'offenseur comme s'il ne s'était rien passé entre lui et nous.

Dieu ne pourra jamais nous soumettre à une loi pareille.

C'est inhumain.

La vérité a de plus profonds impératifs que cela.

Dieu lui-même ne me pardonnera pas si je ne « reconnais ma faute devant lui » (cf. Ps 50).

Dieu ne peut nous demander ce qui ne serait pas conforme à notre nature.

Quand un enfant est en danger de développer de mauvaises habitudes, ses parents ont le devoir de le corriger, pour lui éviter, par exemple, de devenir esclave de l'alcool ou de la drogue.

De même, quand un désordre risque de prendre racine chez notre semblable, c'est un devoir pour nous de l'obliger à s'amender.

Les exigences du pardon

Avec cette conclusion étonnante que c'est manquer à notre responsabilité que de pardonner en oubliant tout et en agissant comme si rien ne s'était passé, quand un proche a commis une injustice en nous blessant.

Cette amnistie paresseuse qui nous apparaît spontanément comme l'agir le plus évangélique peut devenir une attitude contraire à l'évangile.

Le véritable pardon est plus exigeant que cela.

Nous risquons alors de négliger notre responsabilité face à celui qui nous a offensé.

Nous passons outre au devoir de la correction fraternelle.

Nous avons une image édulcorée du pardon évangélique.

À la manière du Christ

Ce n'est pas parce que le Christ reprend les Pharisiens avec une violence inouïe qu'il ne leur pardonne pas.

Le Christ est là pour nous dire comment nous devons pardonner.

Le Sauveur ne fait pas comme si rien ne s'était passé.

Il réclame, avec la dernière sévérité, que les scribes et les Pharisiens reconnaissent qu'ils ont tort et qu'ils sont coupables de s'en prendre à lui.

À son invitation, saint Paul agira de même envers les Corinthiens.

Puis, nous verrons l'Église primitive emboîter le pas et excommunier le coupable pour le contraindre à retrouver le chemin de la vérité et du respect.

C'est dans cette direction que doit se situer le pardon que nous devons donner.

La contrition implicite

On objectera que le Prodigue a été accueilli par son père sans avoir manifesté un véritable repentir : il ne venait à la maison que pour avoir du pain à manger.

C'est là juger les choses d'une manière bien superficielle.

L'enfant était disposé à recevoir le pardon et avait déjà reconnu ses torts en s'avouant indigne d'être appelé le fils de son père.

Il était ouvert au pardon.

La preuve en est qu'il a accepté de se voir fêté, ce à quoi son frère s'est refusé, lui qui n'avait rien à se faire remettre.

La vérité vous rendra libres

Prenons un exemple pour mieux comprendre : tu dis ne pouvoir pardonner du fond du cœur après avoir été profondément blessé par quelqu'un.

Si la personne qui t'a offensé venait se prosterner devant toi, bouleversée de repentir, après avoir réparé sa faute au quadruple et t'avoir convaincu qu'elle est profondément sincère, comment réagirais-tu ?

Refuserais-tu de lui pardonner ?

Aurais-tu de la tristesse à la voir reconnaître ainsi ses torts, ou ne te réjouirais-tu pas de voir la vérité se faire ?

Refuser de pardonner, c'est vouloir le mal de l'autre.

Ne pas pardonner, c'est désirer que l'autre continue de me faire du tort et persiste dans ses mauvaises dispositions à mon endroit !

Dans de telles conditions, est-ce que le pardon peut demeurer quelque chose de difficile ?

C'est ainsi que Dieu nous absout et que nous devons, nous aussi, pardonner.

Dieu peut-il avoir en vue autre chose que notre bien ?

Le pardon qui nous est demandé est quelque chose de tout naturel et, s'il est mûr, il doit se faire sans exiger de nous le moindre mouvement de générosité et sans l'ombre d'une difficulté.

Si je dois m'imposer un effort pour pardonner, c'est que mon pardon n'est pas dans la pleine vérité, c'est que je ne pardonne pas comme Dieu le fait.

Le père du Prodigue est l'incarnation du pardon de Dieu.

Ce pardon ne peut surgir que dans la joie et en l'absence de tout effort.

La célébration

Le vrai pardon n'est que pure célébration et mouvement spontané du cœur.

Tout comme le geste d'un enfant qui tend la main vers ce qu'il y a de meilleur pour lui : le dessert qui est là, sur la table.

Le pardon qui nous est demandé est celui qui coule du cœur et des mains, aussi facilement que la joie surgit en toi à l'annonce d'une bonne nouvelle !

Ce qui est mal, c'est de ne pas choisir toujours le chemin le plus comblant pour nous, la joie la plus profonde et la plus durable.

Quand Dieu me fait un commandement de pardonner, il n'a en vue pour moi que la joie pleine et parfaite.

Quand je passe près d'un objet brûlant, la douleur que j'en éprouve me pousse à corriger la situation en m'éloignant de l'objet ou en diminuant l'intensité de sa chaleur.

Il en est de même pour ce qui est de la souffrance que je ressens devant l'offenseur : elle n'est là que pour me signaler qu'il y a quelque chose à redresser.

Je dois faire la vérité en moi et rectifier l'agir de l'autre.

Si l'attitude de l'offenseur ne m'affectait en rien, je ne pourrais pas prendre conscience du désordre qu'il y a en lui et, en conséquence, je ne pourrais pas l'aider à se guérir.

Au terme, ma souffrance ne vient pas de l'injustice que je subis, mais du mal que l'autre s'inflige en me faisant du tort.

Le mal qui me traverse à la suite de la blessure qu'il m'impose est là seulement pour me signaler que l'autre est en enfer (enfer de la haine, de la jalousie, de la violence, etc.), et que je me dois de l'en sortir.

Si je suis dans la vérité, je ne dois souffrir que du mal dont l'autre s'accable en me faisant violence.

« ... et il crut »

(Jn 20,8)

La joie qui brûle le cœur

Les tombeaux s'ouvrent,

les morts ressuscitent,

les soubassements du monde sont remués.

Ce matin, les structures de l'univers sont remises en question.

L'incrédulité se voit confondue dans un excès de lumière.

Le découragement est surpris par la chaleur d'une présence.

La tristesse perd ses assises dans la joie qui brûle le cœur.

Triste victoire

Il y a quelques heures à peine, le Grand Vaincu de l'histoire était couché dans le silence de la mort.

Les tenants de l'orgueil « ricanaient leur victoire ».

Ils jubilaient, non de leur victoire – le mal en est incapable – , mais de la défaite de leur Ennemi.

Triste victoire qui ne se nourrit que de mort !

Privilège bien discutable

Qui est donc Celui qui, du fond de l'abîme, illumine toutes choses ?

Derrière ce Vaincu,

à la suite de cet Endormi,

voilà que des phalanges se lèvent en réclamant le privilège de le suivre jusque dans l'humiliation de la croix.

Que pouvait-il manquer ?

Rome avait vu une multitude de nations courber l'échine devant elle.

Rome avait accaparé les richesses de tous les pays conquis.

Rome pouvait se permettre de nourrir sa population de pain et de jeux.

La puissance, la gloire, le luxe, tout était à portée de la main : le peuple n'avait qu'à se servir.

Que pouvait-il lui manquer ?

Une étrange force

Mais voilà qu'émerge en son sein une force étrange qui vient annuler le fruit de toutes les conquêtes.

L'or, l'argent, le plaisir, la volonté de puissance se voient tout à coup méprisés.

On boude les plaisirs du cirque.

On se rendra encore à l'arène, mais pour avoir la gloire d'y mourir sous la dent des bêtes.

La loi romaine avait maintenu le monde sous sa férule inexpiable.

Soudain, elle se retrouve impuissante devant des enfants et des adolescentes.

Une force mystérieuse soutient les simples et les pauvres.

Les soldats refusent de combattre et acceptent de se voir égorgés.

Les villes et les campagnes abondent en témoins obscurs qui remettent en question la puissance de l'empire.

De partout et jusque dans les corridors de l'administration, les défections se multiplient.

Les sanctions viennent, brutales, mais le sang répandu n'a plus l'effet démobilisateur qui pouvait maintenir le statu quo.

Tous les rois du monde avaient été vaincus par l'impitoyable machine, mais devant les vierges et les enfants, Rome capitule en avouant son impuissance.

Les nations apprendront que la force et l'épée n'auront plus désormais le dernier mot.

L'incompréhensible magnétisme

Puis, les siècles verront le miracle défier toutes les instances d'orgueil et d'arrogance.

Rien n'avait pu endiguer le flot des barbares qui déferlait sur toutes les civilisations connues.

Et voilà que Clovis se surprend à brûler ce qu'il a adoré et à adorer ce qu'il avait brûlé.

Tout récemment encore, le marxisme athée avait cru trouver la recette qui viendrait à bout de cet incompréhensible magnétisme de l'amour : le voici vaincu à son tour !

Les jeux n'y suffisent pas

L'enfer n'en démordra pas pour autant.

Si la force n'y peut rien, la tiédeur et la facilité de vivre réussiront peut-être à endormir l'énergie de la résurrection.

Cependant, encore aujourd'hui, le peuple proteste alors qu'une part infime de l'humanité dispose des trois quarts des richesses de la terre,

la violence éclate chez les nantis ;

le non-sens émerge du cœur même de l'aisance et du bien-être ;

des jeunes et des enfants préfèrent se donner la mort plutôt que d'entrer dans le burlesque du cirque improvisé.

L'histoire se répète : le pain et les jeux n'y suffiront jamais !

L'intelligence n'y comprend rien

Et le plus beau, c'est que nous avons été choisis pour continuer la lignée des irréductibles contestataires.

Le miracle demeure, aussi inexplicable pour nous qu'il pouvait l'être pour nos devanciers.

Notre intelligence n'y comprend rien.

Nos sens n'ont pas de part à l'ivresse de l'Esprit.

Tout nous est enlevé de ce qu'on pouvait avoir à nous offrir.

Une prison de lumière

On gémit sur la tristesse de notre vie pendant qu'au fond secret de notre être vit une joie qui justifie notre « choix erroné » : suivre le plus célèbre de tous les humiliés.

Nous n'avons rien pour nourrir nos sens,

rien pour convaincre notre intelligence,

rien qui puisse aider notre impuissance,

et pourtant nous disposons d'une joie qui déborde sur l'univers, et indigne le fond des enfers.

L'homme raisonnable pleure sur notre incarcération, mais nos prisons regorgent de lumière.

Je n'ai rien reçu, je suis pauvre, mais l'infini des espaces ne suffit pas à contenir mon capital.

Une fragilité qui menace

J'interroge le monde et le somme de me répondre, lui qui ne peut supporter l'arrogance de ma joie, de cette joie qui condamne son immortelle tristesse : qu'il m'explique aujourd'hui le miracle de ma joie, qu'il justifie l'acharnement avec lequel, depuis les origines, il martyrise les adeptes d'un bonheur qui échappera toujours à son emprise.

Depuis quand la fragilité serait-elle devenue menaçante pour la puissance ?

La pauvreté aurait-elle de quoi rendre jalouse la richesse ?

L'adoration nous gagne

Grandeur et beauté de notre appel : notre plénitude, c'est le vide !

Le rien est là qui suscite en nous le frémissement de la vie.

L'amour s'est perdu.

La vie a vaincu.

Le silence s'impose.

L'adoration nous gagne...

« J'ai soif »
(Jn 19,28)

Silence et parole

Quel impossible défi que de prendre la parole au moment où le Verbe choisit de se taire,

au moment où le message que Dieu veut nous transmettre par son Fils atteint une intensité telle que nos mots capitulent dans sa bouche : il se tait !

Est-il vrai qu'il nous faille parler alors que la Parole elle-même s'enferme dans le silence de la mort ?

Notre bavardage

Quelle tâche ! commenter le mystère dans lequel rentre aujourd'hui celui qui, un jour de notre temps, en est sorti pour nous réconcilier avec lui !

C'est à partir d'une éternité de silence que la Parole a fait jaillir les mondes.

Le Verbe retourne en son lieu d'origine, là où sa fécondité peut nourrir l'univers.

Aujourd'hui encore, il se tait, et tout s'opère.

Aujourd'hui, notre salut est au prix de ce silence.

Notre bavardage ne sera jamais autre chose qu'une entrave à la puissance créatrice.

Nos indiscrétions profanent les espaces sacrés de Dieu.

Il nous faut accepter de ne jamais savoir,

renoncer à connaître,

éviter de toucher,

adorer ce que nous ignorons.

À l'encontre de notre mouvement

Madeleine a désiré étreindre les pieds du Maître : elle s'est vue charitablement éconduite ; Thomas a touché ses plaies pour se faire dire que la foi valait mieux que l'évidence.

Le Pharisien s'est avancé jusqu'à l'autel, mais c'est dans l'âme du publicain que la paix est descendue.

Où est notre nourriture ?

Tout est contenu dans le dépouillement et la pauvreté !

Notre béatitude est cachée dans la pénombre et dans l'absence.

Notre plénitude loge à l'intérieur du silence.

Notre rassasiement se vit dans l'inaccomplissement même de notre désir.

La pauvreté de Dieu

Le Sauveur nous avait dit qu'il était pauvre au point de n'avoir pas de pierre où reposer sa tête.

Mais ce n'est pas d'abord de cette manière que le Sauveur est pauvre.

Sa pauvreté fondamentale est de n'être pas en communion : « J'ai soif ! »

La force et la faiblesse

Quel étrange retournement de situation !

Celui qu'on avait connu si fort, maître des événements, capable de se dégager de tous les pièges qu'on lui tendait ;

celui qui savait rassurer les siens au fort de la tempête ;

celui qui pouvait commander avec autorité aux éléments déchaînés, aux démons et à la mort elle-même ;

celui qui remplit le monde de sa présence,

le voilà qui pleure et gémit comme un enfant quand il est abandonné à lui-même, le voilà qui tremble en se voyant coupé d'avec son Père et les siens, privé de la relation privilégiée qu'il avait avec eux !

Nous sommes en relation

Nous avons toujours la tentation d'augmenter notre capital spirituel, de nous enrichir de la grâce.

Nous sommes invités aujourd'hui à ne cultiver qu'une seule dimension : notre relation avec le Christ et nos relations avec les membres de son Corps.

À l'image de la Trinité, nous ne subsistons que dans et par la relation que nous vivons avec l'Autre et avec les autres.

Notre vie n'est plus mesurée par nos œuvres, mais par nos relations.

Notre mort n'est pas liée à la stérilité de notre vie, à l'insignifiance de nos réalisations, mais à l'absence de l'Autre et à l'absence des autres.

Comme pour le Christ, notre agonie, c'est d'être séparés.

Notre souffrance, c'est d'être laissés seuls avec nous-mêmes, seuls avec notre richesse, nos dons et nos charismes... Seuls !

Nous pouvons remuer le monde avec le meilleur de notre générosité, mais tout s'enlise dans la mort si nous sommes en rupture avec « un seul » des membres du Corps auquel nous appartenons.

Le mal de l'inconstance

Cependant, il y a l'envers de la médaille : toutes et chacune des souffrances qui nous viennent de nos relations avec les autres sont une participation à la première des souffrances du Christ.

Depuis notre naissance, nous aspirons à la communion, mais les autres sont là qui, toujours, nous imposent des distances et des ruptures.

Nos liens sont si fragiles !

L'inconstance, celle des autres et la nôtre en premier lieu, est source de continuelles déceptions.

Communion à ses souffrances

Toutes les difficultés que nous vivons chaque jour dans nos relations fraternelles : quand nous avons du mal à pardonner, quand on nous ignore, quand on nous méprise, quand nous nous heurtons à l'indifférence, quand nous manquons de générosité et d'ouverture envers le prochain, chacun de ces déchirements est participation à la souffrance essentielle du Christ.

Cela, parce qu'un jour nous nous sommes engagés à vivre dans une communauté de croyants, formée de personnes que nous n'avions pas choisies.

Le miracle de la communion chrétienne

Dans l'ordre strictement humain, qu'on songe seulement aux difficultés de la vie conjugale : les conjoints ont opté pour la vie commune après s'être longuement connus et fréquentés, après s'être mutuellement étudiés, après avoir évalué les aspects positifs et complémentaires de leurs personnalités respectives.

Et malgré tant de précautions, ils en arrivent si fréquemment à la violence et au divorce !

Que penser alors des exigences que comporte une vie de fidélité dans la communauté chrétienne ?

On nous parle souvent des richesses de la vie communautaire, et, par ailleurs, nous nous culpabilisons si facilement de n'être pas charitables !

Quand l'Esprit de Jésus nous donnera-t-il de comprendre que, du seul fait que nous nous sommes engagés un jour à vivre dans un Corps qui est celui du Christ, il advient que chacune de nos souffrances relationnelles, même celles qui découlent de notre égoïsme ou de notre manque de générosité, demeure une participation à l'insondable cri de détresse de l'Homme-Dieu sur la croix ?

Notre vie communautaire, notre vie fraternelle, c'est en cela que sont sa richesse, son miracle, sa grandeur et sa beauté.

Méditation pour les sceptiques

En entrant dans la communauté, nous avons accepté, fût-ce de façon plus ou moins consciente, d'être crucifiés par elle, avec et comme le Christ.

C'est quand nous saurons donner à toutes nos souffrances relationnelles leur valeur corédemptrice que nous commencerons à comprendre la profondeur du mystère de la

seraient tentés d'édulcorer la s invite à méditer sur les souf- l'humiliation du Prodigue, sur rosterné au fond du Temple.

Tous ceux-là ont souffert à cause de leur « inconduite », et, en leur brisant le cœur, cette souffrance leur a ouvert la porte du Royaume, au grand scandale de ceux qui avaient eu la générosité de marcher tout droit dans la vie.

La justice de l'amour

Quelle est donc cette loi cachée qui convertit les irréparables conséquences de nos fautes en monnaie d'éternité ?

Si vous êtes intéressés à connaître cette loi, regardez du côté de Dieu, dont le cœur est plus grand que le nôtre.

Regardez du côté de la justice de l'amour qui vient détruire toutes les fausses données de nos balances disloquées.

L'audace de l'Esprit

Il vous en coûte, n'est-ce pas, d'accorder à la justice de l'amour la prétention à un peu de folie ?

Vous doutez que les abîmes de la charité puissent non seulement ensevelir ce mal qui est le vôtre, mais le transformer en capital de vie.

Vous vous accablez du poids de vos erreurs au moment où un miracle de grâce attend de convertir celles-ci en fruits d'éternité.

Comme il vous est ardu d'emprunter à l'Esprit quelque chose de son audace et de sa liberté !

Quand vous rendrez-vous compte que résister à l'infinie douceur de l'Esprit Saint est une faute incomparablement plus grave que tous vos accrochages quotidiens avec les écorchures qui s'ensuivent ?

Un pouvoir de rachat

Jusqu'ici, chaque jour, vous avez imposé au cœur de Dieu les dimensions restreintes du vôtre.

Au matin de votre baptême, en vous engageant à vivre en communauté, vous avez accepté de monter sur la croix avec le Christ.

Depuis lors, comme lui et avec lui, vous êtes soumis à l'écartèlement et à la souffrance.

« Vous complétez dans votre chair ce qui manque aux souffrances du Christ » (*cf.* Col 1,24).

Chacune de vos douleurs communautaires a son pouvoir de rachat.

Inexplicable fécondité

Chaque fois que vous êtes déçu de vous-même ou des autres, vous oubliez le don que vous avez fait de votre être à Dieu, mais l'oreille et le cœur du Père l'ont fidèlement gardé en mémoire.

Ce qui fait aujourd'hui votre désolation se convertira un jour en fruits d'éternelle consolation.

Au premier tournant de votre vie, il a suffi d'un seul geste d'offrande de vous-même pour que Dieu confère une valeur d'éternité au moindre de vos actes, même à celui qui est posé par distraction, ou, mieux encore, à la tristesse ressentie quand un de vos proches s'impatiente et vous bouscule.

Nous n'avons habituellement accès qu'à la face douloureuse et amère de nos actes morcelés.

Mais la Sagesse, au contraire, demeure éternellement rivée à la racine même de notre vie.

« Je passai près de toi et je te vis, te débattant dans ton sang.

Je te dis, quand tu étais dans ton sang : ‹ Vis ! › » (Éz 16,6).

« Et moi j'avais appris à marcher à Éphraïm.

J'étais pour eux comme ceux qui soulèvent un nourrisson tout contre leur joue.

Comment t'abandonnerais-je, Éphraïm, te livrerais-je, Israël ?

Mon cœur en moi est bouleversé, toutes mes entrailles frémissent.

Je ne donnerai pas cours à l'ardeur de ma colère, car je suis Dieu et non pas homme » (*cf.* Os 11,3-9).

Étouffer l'agir de l'Esprit

Exiger de comprendre cet amour avant de vous livrer à son pouvoir, c'est prendre le risque d'étouffer l'agir de l'Esprit.

Si vous refusez à Dieu le pouvoir de ressusciter les morts, de ressusciter votre mort et chacune de vos morts quotidiennes, vous résistez à l'action de l'Esprit, et jamais vous ne verrez la pierre froide du tombeau livrer passage à la puissance victorieuse de la vie nouvelle.

Le combat à finir

Dieu ne serait-il venu parmi nous que pour emprunter la cadence imparfaite de nos pas maladroits ?

Lui accorderez-vous la permission d'ouvrir des chemins nouveaux au cœur de vos impasses, de créer des espaces de liberté à même vos chaînes et vos refus ?

C'est Dieu qui a inventé la vie !

Nous, nous avons inventé la mort !

Dans ce combat à finir, qui, pensez-vous, aura le dernier mot ?

Le miracle de notre résurrection

Aujourd'hui, le Christ est déchiré sur la croix.

Aujourd'hui, par grâce, nous sommes déchirés sur notre croix.

Aujourd'hui, nous sommes déchirés par notre croix.

Aujourd'hui, il n'y a plus qu'une seule croix.

Et nous sommes avec lui sur cette croix.

Que pouvons-nous attendre d'autre que le miracle de la résurrection, de notre résurrection ?

« Éclatez en cris de joie ! »
(Ps 98,4)

Quête persistante

Depuis toujours, le désir au cœur de l'homme avait fait de celui-ci une sorte de martyr inconscient.

Cette force obscure, l'enfant du Père avait eu de tout temps un mal extrême à la mettre à son service.

Elle avait fait de lui un être tourmenté.

Elle l'avait poussé dans une multitude de chemins perdus.

Volonté de puissance, découragement, violence, compensations, désespoir, tout y a passé.

Manifestement, l'homme se voyait dépassé par l'envergure de son désir.

Incorrigible constructeur de tours de Babel, perpétuel « abatteur » de moulins à vent, il a vu avorter ses élans les plus présomptueux.

Bien qu'éternel frustré, il persiste en sa quête avec la naïveté de celui qui a oublié de mesurer l'ampleur du défi qui lui est proposé.

Contre toute attente

Comme si cet immense capital de frustrations n'y suffisait pas, voilà que le désir de Dieu pénètre maintenant jusqu'au cœur du chercheur impénitent pour, semble-t-il, exacerber son mal en le poussant au paroxysme.

Ce désir manifeste au grand jour son inaptitude séculaire à vivre dans l'harmonie.

L'homme est une sorte d'engin redoutable, mais démantelé par la puissance démesurée de son propre ressort.

Cependant, contre toute attente, voilà que sa souffrance va s'apaiser avec l'apparition d'un désir plus intense que celui dont il avait jusque-là poursuivi l'accomplissement.

La paix qui inquiète

Il se demande alors :

« Est-il possible qu'existe un désir plus grand que le mien ? »

Aussitôt, l'immense tristesse du monde se voit habitée de joie !

Tous les éléments de violence sont désormais circonvenus par une inexplicable douceur et, au cœur même de la guerre, se dessinent les lignes vierges d'une autre paix.

Cette paix nouvelle n'exige plus la fin des combats pour naître et grandir.

Et voici le plus étonnant : l'homme est tellement étranger à lui-même qu'il en arrive à s'inquiéter de sa propre paix !

Paix d'éternité

Il n'a pas tout à fait tort cependant parce que, cette paix nouvelle, il n'aurait jamais pu se la donner lui-même.

Elle vient d'en haut.

Mais si elle n'a pas ses racines en lui, il reste qu'elle est bel et bien sa paix à lui.

La pauvre paix des hommes, si mesurée, si fragile, la voilà qui déborde comme un fleuve et envahit tout.

Elle qui était si précaire, la voilà revêtue d'éternité, tout comme celle de Dieu, de Dieu qui la forge avec une grande joie dans le cœur des opprimés.

La ration de l'Infini

Jusque-là, les cieux avaient raconté la gloire de Dieu ; aujourd'hui, c'est la gloire de Dieu qui nous révèle la profondeur de nos cieux, de nos espaces intérieurs.

Jusqu'ici, la promesse du lait et du miel avait excité la convoitise de l'homme ; aujourd'hui, c'est la chair et le sang de l'Agneau immolé qui s'offrent pour rassasier son inassouvissable appétit.

Jusque-là, l'interminable attente d'un Sauveur avait tenaillé le meilleur de l'homme ; aujourd'hui, le désir vient de changer de camp : c'est désormais l'humanité qui est attendue.

L'homme n'avait jamais soupçonné la profondeur de son désir, mais devant l'Invisible qui devient chair, il reconnaît enfin que seul l'Infini pouvait lui fournir sa ration !

Complexe de « perdante »

Dans cette guerre à finir, la mort, pour la première fois, a rencontré son maître !

Un jour, elle s'est avancée jusqu'à Celui qui était la Vie.

Elle a été vaincue et, depuis lors, elle demeure avec un « complexe de perdante » :

« Où est-elle, ô mort, ta victoire ? » (1 Co 15,55).

La mort est vaincue

Jusque-là, l'approche de la mort m'avait serré le cœur, mais depuis que j'ai été informé par la vie, c'est la mort qui a appris à trembler devant moi.

En m'approchant de trop près, elle risque de perdre son identité et de se voir informée à son tour par l'intensité de la vie nouvelle qui solidifie mes assises.

Jusque-là, la joie avait exigé la disparition de toutes mes larmes.

Aujourd'hui, c'est jusqu'au cœur de mes larmes qu'elle a appris à puiser le meilleur de sa sève,

tout comme ma liberté peut maintenant vivre à l'intérieur même de mes chaînes,

tout comme mes victoires ont appris à fleurir jusqu'au creux de mes échecs.

Béatification de nos joies

L'homme est dérouté, et pour cause !

La preuve est faite : toute joie qui a divorcé d'avec les larmes fait désormais figure de parent pauvre.

Nous n'avons plus le choix : il ne reste qu'une modalité d'accomplissement pour notre joie, celle des béatitudes.

Quelle chance inespérée : nous voilà sauvés de nous-mêmes !

Jusqu'ici, nous avions réussi parfois à « béatifier » nos peines et nos souffrances, mais quel mal nous nous étions donné pour arriver à « béatifier » nos joies !

Les rares parcelles de bonheur que nous avions pu atteindre nous étaient toujours apparues suffisamment comblantes pour nous dispenser de l'obligation de les enrichir des valeurs du Royaume.

L'évangile était seul capable de leur donner la couleur et la profondeur du monde à venir.

La joie promise

Une fois qu'elles ont été fécondées par la dimension des béatitudes, il arrive que nos joies, laissées à elles-mêmes, nous semblent désespérément pauvres.

Elles n'ont plus le droit de circuler seules.

Leur insuffisance et leur stérilité sont aussitôt démasquées, et force nous est de chercher leur accomplissement dernier dans la joie « promise ».

Non, ce n'est pas en « vain » que, depuis toujours, l'homme a si avidement cherché la « vanité » !

Au cœur même de l'effrayant mystère du vide et du néant se dessinaient quelque part, à son insu, les lignes admirables du mystère de l'unique beauté.

Ces lignes, il les avait comme pressenties avant même de les connaître.

Adoration inconsciente

L'homme habité d'intelligence s'est trop longtemps amusé à fabriquer des idoles !

Sa main n'a pu poursuivre cet aberrant métier, sans avoir effleuré, au bout du vide affolant, l'indicible présence de Celui qui appelle précisément le néant à l'existence.

C'est de cette surprenante manière que le « roseau pensant » a toujours été victime de son trop grand capital de vie !

Parmi tous les bipèdes, il s'est levé lui aussi, mais avec une faiblesse native dans les genoux : ses jambes avaient un irrésistible besoin de plier devant une grandeur qu'il ne connaissait pas encore, mais qu'il lui fallait adorer.

Il se fit des idoles pour être en mesure de justifier le geste insolite qui le poussait à s'abaisser devant le créé, lui, le roi inconscient de ce qu'il vénérait dans son ignorance.

La main réalisatrice

Depuis l'origine, il avait façonné une multitude d'œuvres sans se poser trop de questions lorsqu'il réalisa qu'il était lui-même la pièce maîtresse de l'édifice.

Il s'était épuisé à déifier la création quand il surprit un jour son Créateur occupé à le déifier lui-même.

Il avait opéré le transfert de son être divinisé sur des objets inanimés.

Comme il a mis du temps à comprendre qu'une force mystérieuse était à l'œuvre en lui depuis le commencement !

Elle avait veillé au mieux à son évolution pendant qu'il investissait le meilleur de son temps à s'autodétruire.

Circonvenus

Il suffirait, à nous aussi, de savoir prêter un peu plus d'attention à l'essentiel de notre être en « devenir » pour comprendre que tout est en passe de s'accomplir en nous et autour de nous.

Les lois de la vie nous échappent habituellement en même temps qu'elles nous circonviennent.

Le jour où le visage de notre liberté sera mis à découvert devant nos yeux étonnés, nous comprendrons que

la manière la plus parfaite d'être attentifs aux autres,

la manière la plus féconde d'être présents à tous ceux qui nous entourent, et enfin

la manière la plus comblante de répondre à leur attente,

c'est de prendre conscience qu'ils sont à notre service pour nous harmoniser et nous accomplir.

Pour qu'éclate la fête !

« Chose irrecevable ! » me direz-vous.

Pourtant, de même que l'homme nouveau ne commence à vivre et à respirer qu'au moment où il accepte de se laisser modeler et sauver par son Dieu, ainsi, je ne commence à vivre au milieu de mes semblables qu'à partir de l'heure où j'accepte de me laisser accomplir par eux.

Et ceux qui m'entourent s'éveillent à la richesse de leur fécondité en réalisant qu'ils me construisent dans le meilleur de mon être.

Vous m'objecterez peut-être que l'homme pécheur risque de m'accomplir d'une manière bien différente de celle d'un Dieu sauveur, et que le risque est alors d'envergure.

Mais précisément : depuis que l'ère des béatitudes a été instaurée au milieu de nous, les gestes humains n'ont plus la liberté d'échapper à leur mission !

Au moment même où ils détruisent et donnent la mort, nos gestes malheureux travaillent, sans le savoir, comme dans le cas du Prodigue, à l'avènement d'une résurrection, la mienne d'abord et celle des autres ensuite, comme chez le père où la fête éclate.

Le commandement des origines

C'est de cette étonnante façon que notre Dieu sauve le monde.

Et c'est aussi la mise en œuvre de la parole de l'Apôtre :

« Si Dieu est pour nous, qui sera contre nous ? » (Rm 8,31).

Comprendrons-nous jamais la grandeur et la beauté de notre vocation : accomplir les autres en leur permettant de nous donner le jour ?

Vous me direz que c'est là une manière éminente de les réduire en esclavage.

Si c'était, au contraire, reprendre à mon compte le commandement des origines : « Emplissez la terre et soumettez-la » (Gn 1,28) ?

En permettant à mon semblable de travailler à mon accomplissement, je lui répète l'invitation même de Dieu à nos premiers parents.

« Comme celui qui sert »

Ce n'est pas pour asservir l'homme que Dieu lui a confié la mission de travailler à la continuation de son œuvre.

C'est bien plutôt pour le rendre participant de son béatifiant pouvoir de Créateur.

Loin d'abaisser mon semblable en le chargeant aujourd'hui du mandat de me conduire jusqu'au bout de mon chemin, je l'appelle à une sorte de promotion, parce que ce n'est plus sur l'ensemble de la création matérielle que je l'invite à travailler, mais sur l'enfant privilégié du Père que je suis devenu, celui sur qui repose la bienveillante attention de son regard.

J'élève ainsi un enfant de la terre à la dignité de cocréateur.

Et plus étonnant encore, en donnant à mon semblable de me réaliser par toutes et chacune de ses actions, je l'accomplis moi-même de la plus authentique manière, conformément à l'admirable plan du Père.

Je fais de lui, en quelque sorte, « l'égal du Père », comme le fut le Christ, lui qui, précisément, est venu me révéler son Père en se faisant serviteur.

« Je suis au milieu de vous comme celui qui sert » (Lc 22,27).

Le décret de l'amour

J'ai rêvé de transfigurer la face du monde !

Pourtant, ce dernier n'a toujours attendu de moi qu'une seule chose : à savoir la révélation de sa transfiguration déjà réalisée dans la lumière.

Or cette prophétie, je ne puis la prononcer sur lui de façon effective et déterminante que si j'ai clairement conscience d'être devenu moi-même lumière vivante d'où émane toute clarté.

À l'imitation de celle du Christ, ma vocation est de ramener tout l'univers à moi, parce que l'amour a décrété depuis toujours que je serais le centre unique par où devrait obligatoirement passer cet univers que Dieu rappelle à lui.

Tout reconstruire

Aucun vivant ne pourra être véritablement lui-même qu'à partir du jour où je serai devenu pleinement conscient de cet héritage qui est toute ma vocation.

Et le monde restera sur sa faim aussi longtemps que mon audace n'aura pas permis à l'amour de tout reconstruire par moi.

Comme mon Sauveur, je dois apprendre à dire :

« Vous ne voulez pas venir à moi pour avoir la vie » (Jn 5,40).

En attente de moi

Quelle mission Dieu m'a-t-il donc confiée ?

Pour être en mesure de la remplir, avec quel sérieux je me dois de vivre l'évangile !

J'ai reçu comme mandat d'accomplir en mon être ce qui manque à l'être total du Christ.

Depuis le jour où je suis devenu porteur du mystère de Jésus Christ, je n'ai plus à chercher ma voie, à ouvrir le chemin devant moi.

Tout « survient », tout « devient » du seul fait de ma présence.

Toute chose était en attente de mon être pour se voir achevée.

La conquête de ma vérité

Depuis le commencement, l'humanité a espéré le Messie Sauveur.

Aujourd'hui, le monde mise sur moi pour naître et grandir.

Le Christ se repose sur moi pour répondre à ce besoin.

Mais je ne puis enfanter le monde qu'en étant moi-même dans toute la vérité de mon être d'enfant de la promesse (*cf.* Rm 9,8).

Je ne puis toucher le monde et le transfigurer qu'en me convertissant à ma propre vérité.

Il n'existe pas d'autre voie.

Redoutable défi !

Le Père m'a fait confiance en me croyant capable de réaliser cette mission.

La conquête de ma vérité est plus exigeante que la conquête des empires.

Donner sens à la vie des autres

Aussi pauvre que je paraisse aux yeux du monde — ces yeux qui ne peuvent atteindre au-delà des murs de l'intelligence —, tout est suspendu à mon arrivée sur scène pour que la fête, depuis si longtemps en gestation, prenne enfin son cours.

Il semble que c'est là me donner une importance démesurée.

Pourtant, n'est-ce pas la personne du Prodigue qui est la cause unique de toute la fête ?

Il me suffit désormais de poser le pied pour voir le chemin se « créer » devant moi et donner sens à la vie de tous ceux qui sont dans la maison.

C'est à la lumière du regard indéfectible du Père constamment posé sur moi, son enfant, que je puis y parvenir.

L'harmonie fondamentale

Si, d'aventure, avec trop de naïveté et par manque de discernement, j'allais m'égarer dans une voie de ténèbres, je risquerais toujours de m'y souiller, mais alors, je n'aurais même plus à rebrousser chemin pour regagner la maison et les miens : **ma seule présence, la présence de l'Enfant du Roi, suffirait à assainir non seulement l'enfant qui s'est trompé, mais la voie immonde et corrompue que je transformerais en chemin de gloire et de joie.**

L'expérience de mon pouvoir de résurrection, une fois vécue, m'immunise à jamais contre l'enfer et son mensonge.

Avec la levée du monde nouveau, toute conscience humaine est devenue dépositaire d'une harmonie fondamentale dans laquelle dort la paix du monde.

L'univers à mon service

Et manquer à cette vocation de l'harmonie totale, vivre sans en être pleinement conscient, c'est déchirer en quelque sorte le manteau de la gloire, de cette gloire qui est mon héritage.

Je suis la gloire cachée de la création, moi, l'indigne et l'infidèle !

Ma vocation est de rejoindre la face silencieuse et ignorée de mon être pour y tomber en adoration devant le mystère du Dieu qui m'y a précédé.

Et pour me réaliser dans cet appel primordial, ce même Dieu a mis tout l'univers créé à mon service.

Comment contenir notre joie ?

Vivant, où est ton visage ?

Croyant, où est ta lumière ?

Baptisé, où as-tu caché tes stigmates ?

Ressuscité avec et dans le Christ, qu'as-tu fait de ta gloire ?

Où donc s'arrêtera l'inconcevable miracle de la charité ?

Devant cet état de choses, qui de nous est à même de contenir la joie qui lui vient de son Dieu ?

« Frères, soyez toujours dans la joie, rendez grâces en toute circonstance :

c'est ce que Dieu attend de vous dans le Christ Jésus.

N'éteignez pas l'Esprit » (1 Th 5,16-19).

« Encore un peu et vous ne me verrez plus »[5]
(Jn 16,19)

Notre main saisit et retient

Avez-vous remarqué de quelle manière notre main est construite et comment elle fonctionne ?

Toutes ses articulations vont dans le même sens : notre main est un admirable outil qui peut saisir et retenir les objets.

Si, un jour, nous devions constater que nos phalanges plient en sens totalement inverse, nous aurions alors la surprise de notre vie !

Imaginez l'impasse !

Nous serions devenus des handicapés, et seule une intervention chirurgicale pourrait nous redonner, partiellement du moins, l'usage de nos mains.

Il est clair que notre main doit obéir en se refermant vers l'intérieur.

---

[5] Il y a ceux qui sont près de Dieu, et il y a ceux qui se croient à des lieues de l'amour.

Il y a ceux qui se sentent dignes d'être aimés, et il y a ceux qui sont écrasés sous le poids de leur péché.

Il y a ceux qui ont bonne conscience, et il y a ceux que le mal habite douloureusement.

Il y a ceux qui peuvent se tenir debout, et il y a ceux qui demeurent prostrés dans la vive conscience de leur misère.

Il y a ceux qui bénéficient de la paix de l'homme, et il y a ceux qui ont hérité de la paix de Dieu.

Il y a ceux à qui leur intégrité suffit, et il y a ceux qui mettent toute leur joie dans la beauté de Dieu.

Nous nous habituons ainsi, dans l'ordre physique, à ne jamais remettre en question une multitude de réalités dont nous bénéficions chaque jour.

Entraves ou chemins de libération ?

Il est cependant un autre ordre de choses où les lois du comportement ne sont pas aussi évidentes.

Tout au long du jour, nous nous heurtons à une foule d'obstacles qui, au premier abord, nous apparaissent comme des entraves à notre accomplissement.

Ces pierres sur notre chemin, nous nous évertuons à les contourner toute notre vie durant, sans jamais comprendre clairement leurs mécanismes internes et leur raison d'être.

La vie se refuse

Devant le discours énigmatique de Jésus, les apôtres se demandent : « Que signifie ce peu de temps ? Nous ne savons pas de quoi il parle. »

Chacune de nos vies est littéralement cousue de ces situations inconfortables où l'incertitude et l'insatisfaction nous guettent.

Nous attendons des personnes et des événements le miracle qui nous permettrait de vivre enfin.

Et nos espérances sont si souvent déçues dans leurs calculs !

C'est à croire que la vie prend un malin plaisir à nous refuser ce que nous souhaitons recevoir de sa main et qui nous semble indispensable.

Désirer, c'est déjà posséder.

Peu de personnes peuvent soupçonner qu'il est beaucoup plus satisfaisant de désirer que d'entrer en possession de ce que nous convoitons ;

que le désir, en fait, est la plus haute forme de possession qui soit et, par suite, l'expérience la plus comblante.

L'évangile nous dit pourtant qu'il n'y a pas de plus grand amour que de donner sa vie, et donc, qu'il y a plus de bonheur à donner sa vie qu'à en profiter pleinement.

La béatitude des pauvres nous enseigne aussi qu'il est plus gratifiant de vivre démunis que de nous voir saturés de biens.

Les voies de l'Esprit et les nôtres

Nous rêvons d'être épargnés par la tentation, de connaître une paix si bien assise que rien ne pourrait la menacer.

Nous aspirons à la prière parfaite, celle où tout notre être serait à demeure fixé en Dieu seul.

Nous désirons savoir où nous en sommes ; nous aimerions tellement voir clair dans notre cheminement spirituel !

Nous cherchons à percer le mystère de ce chemin qui est le nôtre.

Nous voulons alors tout ramener à nos dimensions morcelées, comme notre main qui se referme sur le peu qu'elle est capable de contenir.

Nous ignorons si longtemps que notre intérieur est régi par des lois tellement différentes de celles qui président à l'ordre physique et social.

C'est ce que les mains ouvertes du Christ sur la croix veulent nous laisser entendre.

Évidence ou confiance ?

Nous pouvons gémir sur notre condition et rêver de pleine lumière, mais nous serions plus près de la vérité en saisissant le pourquoi de tout ce qui heurte notre façon de voir et de comprendre.

Notre défi ne consiste pas d'abord à changer les choses ou les personnes, mais à donner une mission à toutes ces situations où nous pouvons nous retrouver, en essayant de lire avec plus de respect et d'attention les lois internes qui nous gouvernent.

Quand, par exemple, l'évangile nous invite à « croire sans voir », il semble bien qu'il vienne contrarier notre manière habituelle de procéder.

En fait, il nous invite seulement à découvrir en nous une loi dont l'existence nous avait toujours échappé.

Nous n'avions jamais imaginé qu'il pouvait y avoir une expérience plus gratifiante pour nous à faire confiance dans la nuit qu'à vivre avec d'indiscutables évidences.

L'accomplissement ultime

Un jour, quelqu'un m'a parlé en mal d'une personne que j'avais toujours estimée intègre.

Je me suis refusé à accepter ce témoignage négatif, malgré l'évidence des pièces à conviction.

Plus tard, j'ai appris qu'effectivement j'avais eu raison de faire aveuglément confiance à cet ami.

Cette victoire sur le mal apparent m'avait laissé avec une joie indicible au cœur.

Je venais de recevoir la révélation que mon cœur est bienveillant, qu'il est plus disposé à croire au bien qu'au mal.

J'avais l'essentiel : un cœur disponible, ouvert à la lumière et à la vérité, capable de célébrer et de susciter la célébration, doué d'une fécondité propre à faire surgir la vie autour de lui parce que lui-même en était rempli, suffisamment riche pour être en mesure de tirer la vie de n'importe quelle situation de mort.

C'est là tout l'homme.

Mais quel mal nous nous donnons pour aller plus loin, quand c'est là le terme, l'aboutissement ultime !

L'incoercible célébration

Nous n'avons aucune idée de ce que pourrait être un amour qui ne serait pas motivé par la présence d'une personne, mais qui surgirait soudain du fond de l'être pour tout envahir et laisser déborder son trop-plein, non seulement sans être provoqué par quoi que ce soit d'extérieur à lui, mais sans même être poussé par le désir de combler l'autre ; un amour qui serait pur jaillissement de gratuité, à l'image d'un arbre qui produit ses fruits uniquement pour obéir à sa logique interne, sans avoir comme but de nourrir qui que ce soit.

C'est là notre loi.

Devenir continuelle émanation de vie pour notre joie, nous reconnaître comme source incoercible de célébration !

La surabondance est notre loi

Combien d'années nous faudra-il encore pour apprendre que le « fonctionnel » tarit en nous les dynamismes de la fête et de la vie, et que seule la « surabondance » est notre loi ?

Dans le passé, nous avons toujours fait l'expérience de nous appauvrir de ce que nous avons donné.

Aujourd'hui, comment arriver à comprendre que nous ne pouvons être le propriétaire d'une chose qu'à partir du moment où nous la donnons ?

En vérité, comme Dieu, nous ne possédons une valeur qu'à partir du moment où nous l'abandonnons à l'autre !

Nous ne pouvons bénéficier de quelque chose que « dans » l'autre.

C'est qu'il y a une manière de posséder différente de celle à laquelle nous avons été éduqués.

C'est ce que le Christ a voulu nous enseigner quand il a dit : « Qui aura perdu sa vie à cause de moi la trouvera » (Mt 10,39).

« Il le reçut avec joie »
(Lc 19,1-6)

Inattention au défi

Au moment où il montait sur un sycomore, Zachée était un homme réconcilié, mais il ne le savait pas.

Si c'était là notre situation, aujourd'hui où nous nous apprêtons à nous convertir ?

Il y a la conversion, et il y a les signes de la conversion.

Il y a la conversion, et il y a les fruits de la conversion.

La conversion chrétienne est un paradoxe virulent.

Et nous avons constamment la tentation d'en faire une réalité que nous pourrions tenir dans nos mains.

Ma conversion ne consiste pas à changer ma conduite, mais à « le connaître, Lui, et la puissance de sa résurrection » (Ph 3,10).

Abandonner notre conduite mauvaise, changer notre comportement sont des choses que les païens réussissent autant et mieux que nous.

Mais découvrir la vraie nature de la conversion chrétienne est un défi auquel s'attaquent bien peu de baptisés [6].

---

[6] Nous nous compliquons tellement la vie pour arriver à devenir simples comme des enfants !

Face aux enjeux de l'Esprit, nous nous comportons un peu comme un lourdaud tout en muscles qui désire imiter un gymnaste volant au-dessus des barres asymétriques.

La vertu menaçante

Notre conversion n'est pas une chose à conquérir ; il importe seulement de la reconnaître.

Notre conversion, il ne s'agit pas de l'opérer ; il nous suffit de découvrir le lieu où elle habite.

La réconciliation de Zachée était dans le regard du Christ posé sur lui.

Aussi longtemps que notre conversion ne dépasse pas ce que peuvent produire nos efforts, ceux-ci fussent-ils aidés de la grâce, nous ne sommes pas véritablement convertis.

Et l'étonnant est que, si nous ne sommes pas convertis, c'est moins par manque de générosité de notre part, comme nous le pensons trop souvent, que par déficience de lumière.

Notre conversion ne nous appartient pas.

Elle n'est pas de notre ressort.

Qui me délivrera du poids de ma conversion, de celle qui sera toujours à recommencer et dont les fruits ne sont qu'amertume ?

Il faudrait une exceptionnelle qualité de vertu pour supporter sans danger le poids de la vertu.

Nous ne sommes pas assez saints pour nous permettre d'être vertueux.

En état de joie

Qu'un incendie vienne consumer tous mes greniers et leur contenu !

Il croit pouvoir atteindre à la même performance avec sa seule force alors qu'il s'agit d'adresse.

Nous avons généreusement multiplié les efforts, sans nous arrêter d'abord à bien comprendre en quoi consistait le défi.

Le gymnaste évolue avec joie là où le lourdaud transpire péniblement et doit finalement s'avouer vaincu.

Que je sois réduit à l'indigence totale des sauvés de l'évangile, pour avoir part, moi aussi, à ce salut qui se refusera toujours à toute forme de négociation !

Quand le feu aura rasé tout ce qui vient de moi, il ne me restera plus qu'une alternative : le désespoir ou la béatitude de la conversion chrétienne.

Notre contrition a un urgent besoin d'être évangélisée.

Elle est moins un regret faisant suite au mal qui nous échappe qu'un émerveillement devant la grâce qui surabonde sous chacun de nos faux pas [7].

Elle doit devenir un état, un état de joie.

Victoire de la vie

Le malaise éprouvé face à notre péché est quelque chose de malsain chez un baptisé.

Si cette affirmation apparaît comme inacceptable, il faut nous situer au cœur de l'éternité où, loin de nuire à notre béatitude, la conscience vive de notre péché en sera l'assise et la nourriture.

C'est au paradis seulement que nous consentirons à être véritablement pécheurs, là où nous verrons notre mal constamment noyé au cœur de la miséricorde.

Nous vivrons de l'éternelle victoire de la vie sur la mort, et ce sera le meilleur de notre joie.

C'est de cet état que nous devons nous rapprocher le plus possible dès ici-bas [8].

---

[7] Nous avons établi une distinction entre la conversion elle-même et la joie qui s'ensuit, mais la conversion chrétienne est elle-même joie, et joie éternelle ;

joie éternelle, en ce sens qu'elle doit devenir plus qu'un acte transitoire.

[8] C'est pourquoi, dans le sacrement du pardon, il s'agira moins de dire nos péchés que de proclamer la puissance de la miséricorde dans les fautes que nous confessons.

Le mystère de la joie révélée

C'est la saveur trouble du péché qui nous fait esclaves du péché.

Et c'est l'expérience d'une saveur plus riche et plus profonde, celle de l'Esprit, qui pourra nous libérer.

C'est moins la profondeur de notre contrition que l'inqualifiable puissance de la joie spirituelle qui a mission de déraciner en nous le mal.

Ce n'est pas l'aversion du péché qui réussira à nous arracher à l'emprise du mal, mais le mystère de la joie révélée.

Les actes de l'Esprit

Le dernier mot de la contrition, c'est la joie [9].

La conversion chrétienne n'est pas un labeur, elle est une célébration.

La pénitence chrétienne est une pénitence festive, ou plus justement encore, une « fête » pénitentielle.

Les gestes de la vie sont scandalisants de transparence et de limpidité [10].

Les mouvements de l'Esprit sont empreints de grâce et de beauté.

Les actes de vérité sont toujours porteurs de joie profonde et durable.

---

[9] Ceux du dehors ne peuvent saisir la différence qu'il peut y avoir entre ce que l'Esprit opère et ce que la bonne volonté humaine peut réaliser.

Les performances du yogi attireront davantage l'attention et l'émerveillement que l'attitude du publicain écrasé au fond du Temple.

[10] Les Pharisiens pouvaient bien se formaliser de la liberté souveraine dont usait le Christ pour obéir à la loi supérieure de la charité.

Notre conscience morale

Les changements positifs que je puis opérer dans ma conduite ne sont pas ma conversion, mais le signe seulement de la conversion.

Et prendre le signe pour la réalité, c'est m'adonner au culte des idoles.

La transformation de mes habitudes mauvaises en vertu est un signe trompeur qui peut devenir plus dangereux que mon péché lui-même.

Nous avons la mission de démarquer la joie des béatitudes de la joie qui vient de l'homme.

La joie spirituelle est différente de la simple bonne conscience, celle dont les païens sont aussi capables.

La joie spirituelle n'est pas la satisfaction du devoir accompli : en cela, l'homme psychique est aussi performant que nous.

La moindre satisfaction qui découle de nos victoires sur nous-mêmes trouble la limpidité de la lumière qui vient sur nous.

Notre conscience morale a un grand besoin de se voir éclairée.

L'infernal quotidien

Il est un désordre qui conduit à la mort, et il est un désordre qui mène à la vie.

Il est un désordre de mort, celui de la tiédeur, celui de qui observe la loi et y trouve un contentement.

Il est un désordre qui est révélateur d'une soif déchirante de l'infini, c'est le désordre du Prodigue et de la prostituée.

Ce dernier désordre est un désordre de vie, un appel qui secoue la personne au point de la conduire bien souvent aux pires excès, aussi longtemps qu'elle n'aura pas cerné la nature de son tourment intérieur.

Pour ces êtres marqués, l'« ordinaire » devient un enfer, et la souffrance des chemins perdus est un baume sur leur plaie.

Visité au fond de mon enfer

Le jouisseur aveugle et le quêteur d'infini pèchent l'un comme l'autre.

Mais le quêteur d'infini est brûlé par l'accumulation du mal en lui, tandis que le jouisseur s'en nourrit sans problème.

Toutefois, il y a pire que la situation de ce dernier : c'est l'attitude de celui qui tire satisfaction des œuvres bonnes qu'il a accomplies : « Mon Dieu, je te rends grâce de ce que je ne suis pas comme le reste des hommes... » (Lc 18,11).

Ma conversion consiste à assister au salut qui vient me visiter au fond de mon enfer, là où je demeurerai pour le temps et pour l'éternité.

La seule différence entre le temps et l'éternité est que, dans l'éternité, la joie essentielle sera installée au cœur de mon enfer.

Nos victoires doivent être changées en défaites.

« Soyez toujours dans la joie »
(1 Th 5,16)

La joie inexplicable

L'évangile n'est que paradoxe.

Nous voilà invités à méditer sur l'inexplicable contenu de la joie chrétienne.

Cette réalité se révèle plus déroutante que le mystère de la croix lui-même.

L'énoncé de la charte des béatitudes est révolutionnaire au-delà de tous les revirements sociaux ou politiques qui ont labouré la face de la terre depuis les origines.

Si la croix est une folie pour les païens et un scandale pour les Juifs, la joie nouvelle est inexplicable pour les chrétiens eux-mêmes.

La face cachée de l'être

Un jour, le ciel de l'humanité s'est déchiré pour donner naissance à une loi qui allait libérer le meilleur de ce qui était demeuré caché au fond de nous.

Une foule que personne ne pourra jamais dénombrer s'est vue traversée par un souffle qui allait l'emporter.

Nous sommes de ceux-là : nous avons dû céder les rênes à une puissance qui, seule, pouvait mettre au jour la face ca-chée de notre être.

Un mystérieux attrait est venu nous arracher à nous-mêmes.

Nous avions toujours avancé conformément aux normes saines de la raison, et voilà que, soudain, nous avons accepté de marcher à la suite d'un crucifié volontaire.

Dès lors, nous étions irrévocablement enrôlés sous la bannière du renoncement.

Le monde s'est d'abord attristé en nous voyant entrer dans ce qu'il appelle l'univers de la contradiction.

Puis il s'est irrité devant notre obstination à persévérer dans une direction qui allait à l'encontre de la sienne.

L'aurore de la paix

Mais ce n'était là que le début de l'aventure.

Bientôt, c'est nous-mêmes qui allions cesser de comprendre nos propres choix.

En renonçant à la convoitise,

en décidant de mourir à nos choix,

en entrant dans le pénible chemin qui monte sans fin, nous avons découvert la joie là où, depuis toujours, la tristesse avait caché son visage.

Au sein du désordre s'est levée l'aurore de la paix.

Dans les méandres obscurs de nos égoïsmes toujours renaissants nous est apparu l'apaisant visage de l'amour gratuit.

Comme tous les autres, nous avions mis tout en œuvre pour éviter les chemins de la mort, et voilà que le printemps d'une autre vie est venu nous surprendre au cœur même de nos impasses.

Notre joie repose sur ce qui attriste le monde

Nous l'avions toujours ignoré, mais nous avions besoin d'une joie de résurrection.

Il nous fallait trouver notre nourriture là, précisément, où tous les autres étaient morts de faim.

Jusque-là, notre satisfaction était venue de notre ferveur et de nos réussites, et voilà que maintenant elle vient d'ailleurs.

Il n'y a pas de cause raisonnable à notre joie.

Comme au jour de la Pentecôte, ceux qui nous voient du dehors seulement en arrivent à la conclusion que nous avons pris trop de vin doux.

Cette joie demeure parce qu'elle n'est pas assise sur ce qui passe et sur ce qui déçoit ; elle repose sur ce qui attriste le monde, sur cette tristesse qui tient la terre depuis l'histoire du paradis perdu.

Le plus pur de notre joie

Notre nature gémit de devoir se renoncer continuellement, mais l'inexplicable force d'une douceur qui nous cache ses traits nous interdit de retourner en arrière.

Une voix secrète nous en avertit : un retour aux chemins de la facilité serait la mort du plus pur de notre joie.

La déception distille le meilleur de la paix

Nos larmes, comme celles de la pécheresse aux pieds de l'Amour, sont lourdes d'un insoupçonnable bonheur.

L'essentiel de notre joie ne peut jaillir que du renoncement et du dépassement.

Il nous faut immoler le plaisir facile pour atteindre au bonheur qui ne trompe pas.

C'est au milieu de la nuit que peut percer la lumière qui ne défaille pas.

C'est jusque dans nos résistances aux appels de l'Esprit qu'émerge l'éblouissante beauté d'un amour qui persiste à nous aimer sans cause.

Nous en avions tellement connu de ces expériences qui s'achèvent en déceptions !

Aujourd'hui, c'est la déception elle-même qui distille le meilleur de la paix.

La confession qui soulève la pierre

Oui, c'est à nos propres yeux que notre joie est devenue inexplicable.

En effet, comment comprendre notre obstination à persévérer dans un univers de valeurs où notre nature est sans cesse contrariée ?

Nous avons été visités par une qualité de joie qui fait éclater nos outres.

Nous le pressentons bien ; désormais, notre fidélité ne peut servir de base à notre joie : elle est trop fragile.

La joie nouvelle exige de trouver ses assises sur nos ruines.

Les témoins dont la gestuelle garnit les plus belles pages de l'évangile nous l'attestent ; c'est l'humble aveu de notre faiblesse qui déclenche en nous l'abondance des eaux vives.

L'héroïsme a changé de couleur.

C'est la confession de notre impuissance qui permet à l'amour de soulever la pierre de nos tombeaux.

Déchirés par l'abondance de notre contenu

Tout au long de notre vie, nous avions donné et donné encore.

Nous avions fait appel à tous les greniers de notre générosité pour nous rendre compte, en bout le ligne, que notre cœur était fait non pour « donner », mais pour « recevoir ».

Quelle nouvelle !

Notre cœur ne pouvait vivre à sa mesure qu'en étant déchiré par la surabondance de ce qui lui était donné.

La robe et le veau gras étaient déjà prêts quand, sur le chemin, nous avions évalué la somme de travail qu'il convenait d'offrir en échange du pardon et d'un morceau de pain.

Le chant de la vie

Nous ne soupçonnons pas l'intensité de notre soif.

Notre premier mal sera toujours de nous satisfaire d'une mesure de joie qui n'est pas à la hauteur de notre capacité.

Notre cœur met bien du temps à se lasser d'une nourriture qui ne lui convient pas.

Seuls l'accablement et la déception pourront l'agenouiller sur le seuil d'où monte le chant de la vie.

La joie pouvait-elle être si gratuite ?

Le visage du Père pouvait-il être si beau ?

Le cœur de l'enfant pouvait-il espérer avoir part à tant de bonheur ?

« Rendez à César ce qui est à César, et à Dieu ce qui est à Dieu »
(Mt 22,21)

Les enjeux du combat

Nous avons un mal immense à situer notre combat, à discerner ses enjeux.

Nous gaspillons une incalculable quantité d'énergie dans des approches qui ne sont pas celles de l'évangile.

Discerner ce qui, dans notre vie, relève de l'humain et ce qui est la part de l'Esprit est le fruit de toute une vie de recherches et de tâtonnements.

Le Christ s'est évertué à faire comprendre aux siens quelles étaient les dispositions susceptibles de leur ouvrir les portes du Royaume.

Et, à la veille de l'Ascension, les disciples ne comprenaient toujours pas ce que le Maître leur avait dit.

Ensuite, l'Esprit est venu, et les choses n'ont guère changé depuis.

Cœurs lents à croire

Nous rêvons de devenir irréprochables, de faire plaisir à Dieu en lui présentant notre justice.

Pourtant, nous savons très bien quelle attention le Sauveur a accordée au comportement irréprochable des quatre-vingt-dix-neuf brebis demeurées dans l'enclos, au labeur persévérant des ouvriers de la première heure, aux moissons engrangées du grand frère de la parabole, au jeûne et à la fidélité du Pharisien debout devant l'autel.

Après des années d'évangélisation reçue et de combats livrés, nous persistons à croire que c'est notre faute et notre infidélité qui nous menacent au premier chef, et que notre générosité dans l'effort va influencer la balance de Dieu.

Nos œuvres : des linges souillés

Dieu a toujours difficilement accepté ce qui vient de nous.

Il sait que la satisfaction puisée dans nos œuvres n'étanchera jamais notre soif de bonheur.

Nous continuons de miser sur notre vertu et sur nos victoires.

Si vous en voulez une preuve, soyez attentifs à vos réactions quand vous pouvez vous rendre le témoignage que vous avez fait montre de générosité.

Par contre, le cœur vous serre quand votre conscience vous accuse de lâcheté et d'infidélité.

Nous sommes satisfaits de notre vertu et de nos victoires, alors que tant et tant de paroles et de paraboles de l'évangile nous invitent à ne leur accorder aucune créance face au salut.

Nos œuvres sont tellement importantes à nos yeux !

En chacun de nous, Marthe persiste à croire que préparer la table est plus indiqué que de s'asseoir aux côtés de Marie pour recevoir ce que Dieu nous offre.

La tiédeur : le mal par excellence

Et le plus surprenant, c'est que nous n'avons aucune crainte de passer à côté de l'objectif en misant sur l'observance de la règle, sur l'intégrité de notre comportement, sur la fécondité de notre dévouement.

Le Christ nous répète à satiété que c'est la tiédeur qui nous menace en tout premier lieu, la tiédeur caractérisée par le contentement qui résulte de ce qui sort de nos mains, de nos victoires sur nous-mêmes, de notre fidélité.

Où puiser notre paix ?

« Rendez à Dieu ce qui est à Dieu. »

« Laissez à l'homme ce qui vient de l'homme. »

Nous avons tellement besoin de paix !

Nous sommes exposés à tant de périls !

Il nous serait si bon d'être soudainement débarrassés de toute obligation, de pouvoir entrer en pleine et définitive communion avec l'infini de l'amour, de recevoir gratuitement un salut que nous ne pourrons jamais nous donner nous-mêmes !

Et quand l'évangile nous dit que la chose est possible,

que des êtres chargés de péchés peuvent entrer directement au cœur de la fête ;

que des perdus passent avant nombre de justes ;

que ceux qui reviennent vers la maison avec des idées intéressées, sans le désir d'entrer en communion, mais uniquement en vue d'avoir un morceau de pain pour apaiser leur faim, peuvent faire éclater la fête ;

que des êtres égarés dans la nuit et qui ont oublié de revenir à la bergerie se voient rejoints au cœur de leurs errements, ramenés à la maison, et devenus le plus pur de la joie de Dieu,

nous continuons de croire et de répéter que c'est l'héroïsme de notre fidélité qui pourra apaiser notre conscience malade et nous mériter d'être accueillis par l'amour.

Dieu ne peut être influencé
par ce qui est extérieur à lui

Nous refusons à Dieu le titre de Sauveur de ce qui est perdu, et nous ne nous rendons pas compte que cette attitude est ce qui nous éloigne du salut.

Nous avons bien lu que Dieu, n'écoutant que sa seule miséricorde, et sans tenir compte de nos œuvres (Tt 3,4-7), est venu sauver les fils de colère que nous étions jadis (Ép 2,3) et que nous demeurerons éternellement, mais en fait, nous refusons de croire que cette initiative de Dieu est éternelle.

Nous persistons à dire qu'après avoir fait de nous les bénéficiaires de sa bonté gratuite Dieu a changé les règles du jeu, et que son don est maintenant conditionné par notre réponse.

Comme si les dispositions de Dieu pouvaient se modifier de la même manière que les nôtres au gré des événements, comme si Dieu pouvait être influencé par ce qui est extérieur à lui.

La seule initiative de Dieu

Ce n'est pas notre intégrité qui nous mérite le salut.

C'est l'irruption gratuite de la miséricorde dans notre vie qui vient changer notre conduite mauvaise.

Et si, par impossible, notre conduite allait devenir irréprochable, nous ne serions pas alors plus près de Dieu, nous serions même plus en danger, en danger de donner un certain poids à ce qui vient de nous, en danger par conséquent de ne pas accorder à la seule initiative de Dieu notre libération.

Dieu ne réagit pas comme nous

Pourquoi, je vous le demande, sommes-nous si durs envers nous-mêmes ?

Pourquoi refuser à notre cœur la paix dont il a tellement besoin, celle qui mise uniquement sur ce qui est en Dieu, donc sur ce qui demeure éternellement et ne peut être influencé par ce que nous lui apportons, parce qu'en toutes choses Dieu nous précède ?

Il y a une réponse à tous ces « pourquoi » : c'est que nous n'acceptons pas que Dieu puisse agir autrement que nous, les humains, nous qui ne pourrons jamais agir par pure gratuité, la chose nous étant absolument inconnue.

L'éminente disposition de la brebis perdue

Nous chercherons toujours à acquérir des mérites, à plaire à Dieu, alors que le cœur de l'évangile nous enseigne que que Dieu n'attend de nous que l'ouverture à la miséricorde et au salut.

Pourquoi nous est-il si difficile d'accepter que Dieu puisse nous aimer et nous sauver quand nous sommes en dehors de la bergerie avec les seules dispositions de la brebis perdue ?

À notre courte vue, la brebis perdue apparaît non disposée, elle qui n'est même pas revenue à la bergerie, alors que le Prodigue, lui, a au moins fait retour à la maison, même s'il était motivé par l'unique souci d'avoir un peu de pain.

À nos yeux aveuglés, accepter le salut gratuit de Dieu est **une absence de dispositions.**

C'est pourtant la plus appropriée de toutes les dispositions.

La brebis est dans la meilleure des dispositions : elle accepte d'être sauvée et d'avoir été recherchée alors qu'elle-même ne recherchait pas, et de se voir ramenée au bercail alors qu'il n'était pas dans ses intentions d'y revenir.

Alors même que nous n'allons pas à lui

« J'ai été trouvé par un peuple qui ne me cherchait pas [11] », avait déjà dit le Seigneur avant même que soit proclamée la bonne nouvelle de l'évangile.

Comme nous sommes peu attentifs à la profondeur du message !

Notre seul rôle est d'assister à l'amour qui nous sauve et de ne pas le refuser quand il vient à nous alors même que nous n'allons pas à lui.

« Rendez à Dieu ce qui est à Dieu », soit : **l'initiative du salut, la consommation de notre salut, le salut de qui ne le mérite pas.**

Ternir le visage de Dieu

Quel héroïsme nous est ici demandé : consentir à ce que le cœur de Dieu puisse être plus grand que le nôtre, accepter que la justice de l'amour n'ait qu'une loi, celle du pur débordement de l'être, de la vie et de la bonté !

Nos actes « méritoires » ternissent le visage de Dieu.

Dès que nous sommes tentés de mettre notre fidélité dans la balance de la vie, nous disons à Dieu qu'il n'est pas l'amour totalement désintéressé, qu'il se laisse influencer par d'autres valeurs que celles qui président à son être.

Avec Dieu dans nos racines de péché

Il est bien triste de constater à quel point nous sommes étrangers aux valeurs du Royaume.

Avez-vous pensé : si Dieu n'attendait de nous que la confession de notre impuissance ?...

---

[11] Is 65,1.

Si le bonheur de l'éternité allait consister essentiellement à voir Dieu venir nous rejoindre jusqu'en notre abîme de perdition pour nous révéler ainsi de quel amour gratuit nous avons été prévenus ?...

Si nous ne pouvons contempler toute la beauté de Dieu qu'en descendant avec lui dans nos racines de perdus ?...

C'est là qu'avec lui nous passerons le plus beau de notre éternité, là seulement que nous aurons accès au dernier mot de la bonté de Dieu !

Notre fond d'éternité

Tous les actes de Dieu sont éternels.

Et quand il est dit qu'au moment où nous étions fils de colère, mû par sa seule miséricorde, il est venu nous sauver, pensons bien que cet acte de Dieu est, lui aussi, éternel.

Ce sera là l'essentiel de notre éternité.

Et c'est dans l'éternité seulement que nous pourrons voir toute la profondeur de notre péché.

Mais alors, ce spectacle qui nous navre aujourd'hui deviendra le meilleur de notre béatitude, puisqu'il nous permettra de mesurer jusqu'où nous avons été aimés.

Regarder divinement notre péché

Nous avons tenté de négocier l'amour.

Notre défi a été d'améliorer notre agir pour le rendre agréable à Dieu alors que sa miséricorde rêvait de nous envahir.

Nous n'avons pas compris ce que Dieu attendait de nous.

Nous avons rendu à Dieu ce qui appartenait à César.

Le plus grave est que nous n'avons pas compris que c'est l'irruption en nous de la miséricorde et la joie de l'amour sauveur qui ont mission de déraciner le mal qui est en nous.

Il nous faut apprendre à regarder divinement notre péché, notre péché qui est si humainement nôtre.

Ce qui n'appartient qu'à Dieu

Il y a beaucoup d'orgueil à se condamner.

Il y a tant de tristesse à s'appuyer sur ce qui vient de soi !

Il y a tant de joie à miser uniquement sur ce qui nous est offert !

Il y a tant de bonheur à donner à Dieu ce qui n'appartient qu'à Dieu : **l'initiative de notre salut !**

« Dieu donnera toujours plus de fruit à ce que vous accomplirez dans la justice »
(2 Co 9,10)

Les exigences de la fidélité

Ce que j'ai à vous présenter pourrait s'intituler : « Réflexions sur les dedans du martyre ».

Les martyrs ont mené un héroïque combat.

Et nous tremblons à la seule pensée qu'une fidélité aussi exigeante puisse nous être demandée un jour.

Pourtant la grandeur des martyrs dont nous rappelons la mémoire ne réside pas dans l'intensité des souffrances qu'ils ont endurées ni dans le courage avec lequel ils les ont supportées.

L'éclat qui camoufle le vide

Nous sommes très faillibles quand il s'agit d'apprécier les valeurs d'être.

Dans l'ordre de la vie, les dehors sont trompeurs.

Le Christ a pourfendu avec des paroles terribles ceux qui s'occupaient du dehors au détriment du cœur des choses et de la face cachée des actes.

Sans nous en douter, nous tombons très souvent dans ce travers des Pharisiens qui n'accordaient d'attention qu'à l'extérieur des gestes posés.

C'est notre faiblesse, doublée d'un sentiment de peur ou de culpabilité, qui vient ainsi fausser nos approches.

Plus une action est loin de la vie, plus elle doit avoir d'éclat pour pouvoir subsister.

Moins un arbre a de fruits, plus il produit de feuilles.

Au cœur de la vie, l'éclat peut venir, mais par surcroît seulement, pas de façon nécessaire.

Le regard du Christ

Ainsi, il nous faut être bien vigilants pour établir le véritable « lieu » du martyre, l'authentique « couleur » du témoignage.

Les dehors de la vertu ont beaucoup d'importance à nos yeux.

C'est pourtant sur l'intérieur des choses, des gestes et des personnes que le regard du Christ choisissait de s'arrêter.

Les observateurs de la loi

Nous situons habituellement la qualité de notre vie d'après les valeurs « comptabilisables », bien plus que dans la densité de notre couleur intérieure.

Même si cette vérité a de quoi nous choquer, il faut reconnaître qu'il nous est pénible d'abandonner l'univers de la justice et de la loi pour celui de l'amour et de la vie.

Comme il est désagréable de nous entendre dire que nous filtrons le moucheron en laissant passer le chameau !

Il est bien évident, n'est-ce pas, que nous sommes éveillés à d'autres valeurs et que nous ne sommes pas de la famille des « observateurs de la loi ».

Nous commettons une grave injustice envers nous-mêmes en prenant en considération les dehors de notre vie au détriment de ce qui se cache dans le silence et la discrétion.

L'invisible immolation

C'est toute notre vie qui est à l'image du grain de blé dont le germe demeure vivant alors que son extérieur est desséché.

« Notre vie est cachée en Dieu avec le Christ » (Col 3,3).

Nous serions effarés si l'importance que nous accordons encore à la loi nous était révélée.

Sans nous en rendre compte, nous évaluons habituellement notre vie à la manière dont le monde la juge.

Les veilles, le jeûne, le silence sont les pratiques qui alertent l'attention des gens du dehors.

Mais dans quelle mesure est évalué par eux le sacrifice de notre liberté, par exemple ?

Que de réflexions nous entendons qui tournent autour de cette réalité, à savoir que les contemplatifs vivent dans une bien plus grande sécurité qu'une multitude de personnes dans le monde, qui ne savent pas de quoi elles se nourriront demain.

La précieuse autonomie

Un jugement du dehors est très loin de soupçonner que de vivre ainsi sans défi, sans droit à nos initiatives personnelles, puisse constituer, de soi, un fardeau dont la lourdeur est sujette à devenir avec le temps écrasante et étouffante.

Que de fois nous aurions échangé notre sécurité pour le bienfait d'une totale liberté !

Nous sommes des adultes pour qui l'autonomie restera toujours quelque chose de primordial et de sacré.

Valeur du don originel

Quelle importance accordons-nous au geste que nous avons posé le jour où nous sommes venus nous donner à Dieu ?

La pauvreté et l'insignifiance de notre quotidien viennent souvent effacer à nos yeux cet acte « originel » où le regard de Dieu, comme jadis celui du Christ, a choisi de se reposer.

Il n'est pas facile pour nous d'aller chercher le sens spirituel de l'Écriture au-delà de la lettre qui tue.

Le même défi est à relever pour ce qui est de notre vie, de notre quotidien.

Notre vécu a moins de poids par l'intensité que nous y mettons que par le don qui a présidé à ses commencements.

Mais quel défi que de percevoir nos journées tout auréolées de la chaleur du don que nous avons consenti au seuil de notre engagement !

Croyons bien qu'il est encore plus ardu de donner à notre vie son sens spirituel que ce peut l'être de saisir le sens caché de l'Écriture.

L'obole de la veuve

L'absence de relief de notre histoire cachée donne à chacun de nos actes le poids et la couleur de l'existence des pauvres et des affamés qui sont la richesse de Dieu et le meilleur de sa joie.

Voir notre quotidien sans lustre de la même manière que le Christ admirait les deux piécettes de la veuve de l'évangile est un acte héroïque de charité.

Le lieu de notre combat

Pour nous, habituellement, la valeur de notre vie est dans les gestes que nous posons, mais aux yeux de la charité, la vie prend sa valeur dans la « manière » dont nous la contemplons.

Ce ne sont pas nos gestes qui ont du prix, c'est la qualité du regard dont nous les enveloppons.

Cette affirmation vient déstabiliser toutes nos approches.

La difficulté majeure de notre vie est moins dans l'héroïsme de notre fidélité que dans la lumière avec laquelle nous percevons notre existence.

Notre combat n'est pas situé là où nous le pensons.

Que d'énergies nous gaspillons en vain en donnant plus d'importance au quantitatif qu'au qualificatif !

« Convertissez-vous
et croyez à la bonne nouvelle »
(Mc 1,15)

Mettre le mystère en lumière

Il vous est arrivé déjà, au cœur d'une journée terne, de recevoir une visite inattendue qui vous a rempli le cœur de joie.

Au seuil de l'austère carême, je veux vous annoncer une bonne nouvelle : Christ est vivant !

Vous allez me répondre : « Mais nous le savions déjà !

D'ailleurs, notre présence ici le manifeste assez clairement. »

Si seulement vous pouviez me dire ce que signifie pour vous « Christ est vivant », je n'aurais plus besoin de parler aujourd'hui, et vous n'auriez plus le désir d'entendre.

Tout notre cheminement a pour but de mettre en plein relief ce mystère qui nous habite !

Mais, dans ce domaine, il n'existe pas de preuves qui puissent satisfaire notre appétit de connaissance spéculative.

Et s'il y en avait, nous devrions les mettre de côté.

Notre manière de connaître

Les réalités les plus comblantes, en effet, n'acceptent pas de subir l'irrespect de nos définitions claires et précises.

La vie se refuse à toute forme d'entrave ou de prison.

Si, à force d'arguments, nous pouvions contraindre tous ceux qui refusent de croire, avons-nous mesuré le désastre qui s'ensuivrait ?

Nous étoufferions alors en eux la plus comblante manière de connaître : celle qui est inscrite au plus profond de notre nature.

Nos deux lumières

Il y a deux sortes de lumière en nous : la lumière simple et la lumière contraignante.

La lumière contraignante s'impose, sans tenir compte de la capacité du sujet à recevoir l'éclairage qu'on a jugé bon de lui fournir.

La lumière contraignante impose la foi au non-croyant en violant sa conscience.

Elle profane aussi le cœur de l'enfant en le scandalisant.

Ce sont là des cas limites.

La lumière simple, au contraire, se laisse désirer, elle s'offre seulement à ceux qui en sont dignes.

Si une personne la reconnaît et n'exige pas de preuves, cette personne se révèle en cela capable de vivre en sa présence, de respecter sa nature et de ne pas violenter sa discrétion.

Les véritables amoureux sont allergiques aux démonstrations rigoureuses : ils font spontanément confiance.

La mesure de chacun

Avons-nous bien réfléchi à l'attitude du Christ devant les foules à qui il parle en paraboles « pour qu'elles ne comprennent pas » ?

Notre superficialité l'accusera peut-être de dureté envers ceux qui se sont tout de même dérangés pour venir l'écouter.

N'est-ce pas, de leur part, un geste de bonne volonté ?

Mais c'est précisément dans la mesure où il les respecte qu'il ne leur impose pas une lumière trop aveuglante pour leur intelligence et pour leur cœur.

Ils sont encore inaptes à saisir toute la profondeur et la nouveauté du message.

Le Christ a été suffisamment attentif à leur personne et il a pris soin d'évaluer exactement ce qu'ils étaient capables de porter.

Par souci de vérité, il s'efforce de voiler l'éclat de cette lumière qu'il est venu manifester au monde.

Le but du Christ est moins de révéler à tout prix la lumière dont il est porteur que de doser pour chacun la mesure de lumière qu'il peut recevoir [12].

En agissant de façon uniforme pour tout le monde, comme notre zèle mal éclairé est trop souvent tenté de le faire, il aurait exposé sa lumière à la profanation, ou il aurait brisé les personnes qui n'étaient pas prêtes à accueillir toute la révélation du mystère.

Devant pareille attitude, comment pourrions-nous trembler encore ?

Nous ne sommes pas menacés, si nous savions !

Le jeu de la lumière

Nous disons chercher très péniblement la lumière et depuis si longtemps !

Qu'en est-il au juste de cette lumière qui semble indifférente à l'intensité de notre désir ?

---

[12] C'est là une dimension à peu près absente de nos relations interpersonnelles.

La chose est surtout manifeste dans l'ordre social, où l'important n'est pas de savoir ce que l'autre peut accepter ou comprendre.

L'important est de faire triompher mon point de vue.

Nous l'avons si souvent accusée de se dérober devant nous !

Qu'aurons-nous à répondre le jour où cette lumière nous révélera qu'elle s'est soustraite à nos investigations par respect pour notre fragilité ?

Elle voulait ainsi nous éviter de lui manquer de respect, éviter aussi de nous briser l'être sous le choc trop brutal de son avènement.

Reconnaissance pour notre part de lumière

Avons-nous sérieusement pensé que la faible part de lumière qui est la nôtre présentement pouvait être la mesure exacte dont notre être a besoin et dont il est capable à l'heure actuelle ?

Voici une révélation plus étonnante encore : ce qui fait le drame de notre aujourd'hui à chacun, c'est moins le fait de manquer de lumière que de nous voir incapables de jauger notre capacité d'accueil.

Arriverons-nous un jour à suffisamment de vérité pour être pris de reconnaissance envers la vie qui nous aura ménagé adéquatement la part de lumière dont nous avions besoin ?

Nous confessons manquer de lumière, et nous cherchons intensément dans toutes les directions, mais ce qui, pour nous, est beaucoup plus menaçant que le manque de lumière, c'est précisément d'en recevoir une trop grande part et d'être brûlés par elle.

Quelle conversion ?

Avez-vous déjà observé ces personnes simples qui ont découvert le merveilleux secret de puiser toute leur joie dans ce qui remplit leur humble quotidien ?

Je me souviens de cette fable où un riche propriétaire, dévoré de migraines et rongé d'ulcères à cause de ses trop

nombreuses tractations, regarde avec envie son jardinier qui chantonne du matin au soir.

La vie nous offre continuellement de ces singuliers défis.

Et quand l'évangile vient nous dire de nous convertir et de croire à la bonne nouvelle, nous serait-il permis de penser qu'il nous invite à désencombrer notre vie chrétienne d'une multitude de contraintes dont nous avons inutilement chargé nos épaules ?

Voir apparaître notre visage

Est-ce que l'entrée en carême ne pourrait pas être une bien bonne nouvelle pour nous qui nous apprêtions peut-être à entreprendre une guerre ouverte avec de faux ennemis ?

Notre jeûne en arrivera-t-il à être joyeux ?

Aimerions-nous voir apparaître soudain la figure inédite de notre être à la faveur du jeûne qui nous dégage de toute malformation ?

Nous savons à quel point l'enfant aime à se faire photographier, à voir apparaître son visage sur la pellicule !

C'est là aussi notre attente cachée, inavouée, inavouable.

« Une lumière l'enveloppa soudain »
(Ac 9,3-4)

Nos désirs sont des refus

Paul est vaincu par une lumière qui s'impose à lui.

S'il est vaincu, c'est qu'il y a eu combat, résistance.

Et s'il est vaincu par la lumière, c'est qu'en lui les ténèbres refusaient de céder leur place.

Nous avions pensé que toute notre vie était une quête de la clarté : elle est, en fait, un combat contre la lumière.

Notre vie est l'histoire d'une résistance à la lumière.

La souffrance, toute souffrance, est engendrée en nous par notre incompréhension de l'amour.

Nos désirs les plus véhéments ne sont rien d'autre qu'un refus de la plénitude et du rassasiement.

Un mal inconscient

Qui de nous peut entendre cette sorte de langage et y adhérer ?

Inacceptable, n'est-ce pas ?

Comment pourrions-nous résister à la lumière quand toute notre vie est orientée vers sa conquête ?

Et s'il était vrai qu'en dépit de notre soif nous portons en nous une inaptitude native à rencontrer la lumière ?

Pour nous atteindre, la lumière doit constamment forcer notre porte et nous terrasser.

Croyez-vous que c'est là une hypothèse qu'il ne convient même pas d'évoquer ?

Estimez-vous que réfléchir à ce mal si profond en nous est une perte de temps ?

Les racines de ce mal ont avancé à un point tel que nous sommes devenus inconscients de sa présence.

Un besoin de désordre

C'est là une réalité stupéfiante, mais l'irruption de la lumière sur nos chemins engendre un profond malaise.

Quand la vie nous approche, notre être en est perturbé.

Nous avons peur de l'amour.

Nous nous fermons constamment à la venue d'un éclairage nouveau.

Nous avons besoin de pénombre pour respirer en paix, comme si une certaine forme de désordre nous était nécessaire pour avancer sur notre route.

La lumière ne pourra jamais s'introduire chez nous qu'en nous faisant une violence inouïe.

Consentir au baiser de l'amour

Ici, pour comprendre, il faut nous rendre attentifs à l'attitude de l'enfant mal aimé.

Il se meurt de détresse dans son manque de communion, mais si vous l'approchez pour lui manifester un peu de tendresse, il s'enfuit.

L'amour est une chose qui lui a toujours été refusée et que, dans sa conscience déchirée, il n'a pas le droit de recevoir, même si tout son être ne peut vivre que de tendresse.

Il est trop blessé pour être en mesure d'accepter ce qui est vital pour lui.

De même, notre obscurité est trop évidente pour que notre droit à la lumière aille de soi.

Notre conscience est aussi trop chargée pour que nous puissions spontanément consentir au baiser de l'amour.

C'est comme si le contraste était trop criant entre notre pauvreté et la richesse de la vie.

Inexplicable peur

Paul n'a toujours cherché que la lumière.

Qui pourrait en douter ?

Pourtant il doit être vaincu et terrassé par elle.

Il s'est entendu dire : « Pourquoi me persécutes-tu ? » (Ac 9,4).

Nous disons chercher la lumière et, en même temps, nous en avons peur, nous lui faisons obstacle.

La lumière : une étrangère

Au Sinaï, Moïse a tremblé !

Dans le Temple, Isaïe a été bouleversé par la grandeur de la gloire de Dieu !

Avant d'être introduits définitivement dans la lumière, tous les mystiques ont dû vivre un éprouvant combat.

Comment se fait-il que cette lumière à laquelle nous avons voué toute notre vie puisse être à ce point étrangère à nos habitudes ?

Notre œil est conçu pour voir, mais en même temps il n'est pas accordé à la lumière.

Notre cœur est fait pour aimer en même temps qu'il se refuse instinctivement aux avances de l'amour.

Le tourment intérieur

Nous avons la continuelle tentation d'échapper à la brûlure de la vérité.

Et nous avons développé mille manières de nous dérober à son emprise.

La peur et la culpabilité d'une part, l'indifférence ou l'inconscience d'autre part nous protègent contre les avances de la vie.

Nous le devinons trop bien : le tourment risque de s'installer en nous à demeure, dès que nous aurons entrouvert notre porte à la lumière.

C'est seulement lorsque le jour sans couchant aura définitivement pris place en nous et aura tout envahi que nous pourrons mesurer l'envergure du combat que nous avons livré contre sa lumineuse beauté.

Il suffit d'être un moment attentifs à l'insurmontable difficulté où nous sommes d'accepter l'amour gratuit, et de nous laisser envahir par la surabondance de la miséricorde au moment où notre conscience nous accable, pour soupçonner la résistance qu'inconsciemment nous pouvons opposer à la lumière.

Recevoir sans avoir mérité

Il y a longtemps que la lumière frappe à notre porte et sollicite la permission d'entrer.

Que de fois nous lui avons répondu, comme Moïse au Seigneur : « Envoie donc qui tu voudras » (Ex 4,13).

À l'Annonciation, la Vierge a accepté le don de Dieu.

Elle a consenti aux avances de la lumière.

Tout est dans l'accueil, et nous ne rêvons que de don, d'offrandes, de générosité et de dépassement.

Nous sommes mal accordés à la lumière et à la vérité.

Si nous tenons absolument à la générosité, canalisons-la dans le sens de l'accueil.

Combien de temps nous faudra-il résister et souffrir encore pour consentir enfin à tout recevoir sans avoir rien mérité ?

Le jour où nous saurons confesser nos réticences devant les avances de l'amour, la lumière sera venue à bout de notre incompréhension.

« Afin que tous soient un »
(Jn 17,21)

Printemps fugitifs

Comme il nous est difficile de cerner avec exactitude les véritables enjeux de la vie !

La semaine de l'unité nous fournit une belle occasion de méditer sur la nature des défis qui sont les nôtres.

Ce n'est un mystère pour personne : il y a beaucoup de maladresse dans notre manière d'avancer vers la lumière.

Et notre faiblesse majeure est rarement là où nous serions tentés de la situer.

Nous appréhendons les remises en question.

L'insécurité nous pousse continuellement à préserver nos acquis, alors que l'Esprit, lui, nous invite avec force à ouvrir des chemins nouveaux, à avancer dans l'inconnu, à inventer chacun de nos gestes.

Mais la peur nous fige dans le conformisme avec le risque de la sclérose.

Dans nos vies, les automnes sont interminables, et les printemps, de courte durée.

Quelques remarques préliminaires introduiront au sens du véritable œcuménisme.

Première observation

Il y a d'abord cette constante chez la très grande majorité des humains : les joies simples et la paix sont trop souvent immolées au bénéfice du pouvoir et de l'argent.

Pour sauvegarder son rang social, par exemple, on va se tuer au travail et oublier de vivre.

Deuxième observation

Vous connaissez le « principe de Peter » : dans le monde des affaires, si quelqu'un réussit, on lui accorde une promotion, c'est-à-dire un poste plus élevé avec une responsabilité plus grande.

Et, sans le discernement nécessaire, on pousse toujours plus avant l'individu en question jusqu'à ce qu'il écrase sous le poids du fardeau et devienne incompétent, parce qu'il aura dépassé le seuil de ses possibilités.

Le dicton populaire disait plus simplement : « L'ambition perd son homme. »

Troisième observation

Quand une situation se détériore, quand on risque d'en perdre la maîtrise, instinctivement on multiplie les lois et les sanctions ; on encadre tout ce qui menace de nous échapper.

Mais l'histoire nous montre à l'évidence qu'un peuple où l'encadrement est trop sévère aboutit habituellement dans la révolte et dans la contrepartie de ce qu'on a voulu imposer avec trop de sévérité.

Par exemple, l'Espagne de Franco s'est muée en chef de file de la corruption des mœurs, et le Québec est devenu, après la revanche des berceaux dans les années cinquante, la proie du divorce, du suicide, de la dénatalité et de l'avortement.

Quatrième observation

Le Christ a désorienté beaucoup de monde et s'est montré bien décevant quand il a découragé la prétention des observateurs de la loi.

En même temps, il leur demandait d'accomplir toute la loi sans en omettre un seul iota !

Selon saint Jean, nous donnons la preuve que nous aimons Dieu si nous observons ses commandements, ce qu'avaient pourtant fait le Pharisien et le grand frère du Prodigue.

Mais « **il y a la manière** » d'observer une loi...

Le premier commandement, notre seule manière d'aimer, consistera toujours à accepter un salut dont nous sommes indignes.

Quel libérateur ?

C'est là un bien long préambule pour en arriver à l'œcuménisme.

Nous aspirons tous, bien sûr, à voir l'unité se réaliser un jour.

Israël avait aussi espéré que la venue du messie corrigerait bien des situations.

Pourtant, l'agir du Christ ne s'est pas orienté dans le sens de la politique ou de la justice sociale, et Israël en a été déçu, et même choqué.

Après tous ces démentis de l'histoire, aujourd'hui encore, on espère que le retour glorieux du Fils de l'homme viendra instaurer un règne de paix définitive sur notre terre.

Et cela est bel et bien écrit, oui, tout comme l'était la venue glorieuse et triomphale du Libérateur si longuement attendu.

Où est le scandale ?

Nous avons un mal extrême à saisir la dimension spirituelle du Royaume.

Nous ramenons sans cesse le projet de Dieu à nos visées humaines.

Et cela vaut autant pour la vie de l'Église et celle de notre paroisse que pour notre vie communautaire et personnelle.

Nous souffrons du « scandale » de la division.

Mais nous sommes-nous arrêtés à ce qui constitue le plus grave de tous les scandales ?

Quand on connaît les hommes, on ne s'étonne pas des divergences de vues qui surgissent entre eux.

Je dirais, à la limite, qu'il est presque normal de voir des croyants interpréter différemment l'Écriture, de mêler le politique et le culturel à la foi révélée.

Est-ce bien en cela que consiste le scandale que nous donnons au monde ?

Le témoignage par excellence

Si tant de prières, tant de sacrifices et tant d'efforts sincères ont été consentis à cette cause depuis un siècle et que les fruits sont encore bien peu satisfaisants, est-ce que l'Esprit du Seigneur n'aurait pas quelque chose à nous dire en cela ?

Se pourrait-il qu'aux yeux de Dieu l'unité visible des Églises soit quelque chose de bien secondaire, et que le véritable œcuménisme selon l'Esprit consiste à respecter la conscience d'autrui ?

Est-ce que la communion de la charité, en dépit de nos lectures différentes de l'Écriture, ne pourrait pas être la plus haute forme de témoignage chrétien qu'il nous soit possible de donner au monde ?

La voix de la conscience

Pour régler ses différends, le monde a recours à la guerre.

Avec beaucoup plus de profondeur, nous lui révélerons le cœur du christianisme non pas le jour où nous penserons tous de la même manière, mais quand, du sein de nos dissonances, nous arriverons à créer l'harmonie supérieure du respect mutuel dans la charité.

Mais l'Esprit pousse encore plus loin ses exigences : nous aurons compris et vécu le véritable œcuménisme spirituel le jour seulement où nous percevrons nos frères séparés comme étant plus près de la vérité que nous.

Non en ce sens que nous mettrions en doute l'authenticité de la doctrine de l'Église qui est la nôtre, mais en ce sens que notre frère séparé, étant fidèle à sa conscience, nous apparaîtra comme étant plus charitable et plus généreux que nous.

Plus près du Christ.

Il faudrait ajouter ici qu'aucune forme d'œcuménisme ne verra le jour aussi longtemps que le cœur de chacun de nous n'aura pas retrouvé sa propre unité dans l'accueil du pardon que Dieu nous offre.

Une faveur imméritée

Demandons-nous sérieusement si Dieu, en permettant les schismes et les hérésies, ne les aurait pas laissés subsister en vue précisément de nous conduire à cette forme éminente d'œcuménisme spirituel qui recoupe l'attitude du publicain prosterné au fond du Temple et se reconnaissant indigne de lever les yeux vers l'autel.

Cet homme, mû par une grâce insigne, considérait le Pharisien comme étant bien plus près du Royaume qu'il ne pouvait l'être lui-même.

En régime chrétien, on est au centre de la lumière quand on a vive conscience d'être englouti au fond des ténèbres ; on est premier quand on regarde la dernière place comme une faveur imméritée.

Ajoutons qu'on parvient à l'unité véritable quand on a appris à respecter l'autre dans sa conscience et dans sa différence.

Qui nous conduira au véritable œcuménisme ?

« Qui est ma mère et qui sont mes frères ? »
(Mt 12,48)

Le mouvement de la vérité

Au premier abord, nous nous étonnons de voir le Sauveur mettre sa mère sur le même pied que n'importe lequel de ses disciples.

Les critères d'évaluation de Dieu ne correspondent pas à ceux que nous mettons habituellement en application dans nos rapports les uns avec les autres.

Nous sommes surpris, puis notre surprise fait place à un mouvement de tristesse en pensant à celle qui, toute de lumière et d'innocence, a dû accompagner cette parenté que l'intérêt et la mauvaise foi guident vers le Christ.

Harmonisés avec l'amour

Notre vie se verrait transformée de fond en comble si nous pouvions voir les choses à la manière de Dieu et surtout entrer dans sa manière de nous percevoir nous-mêmes

Dans les baptisés que nous sommes, un miracle est là à demeure, caché, silencieux, depuis le jour où a été prononcée sur chacun de nous la parole éternelle : « Cela est très bon » (Gn 1,31).

L'ignorance d'un tel prodige est une forme de mal auquel nous prêtons très peu d'attention.

Il y a plusieurs façons de concevoir le péché, mais si tout n'a de valeur que dans et par l'amour, le péché par excellence, c'est sûrement que nous soyons mal harmonisés avec l'agir de l'amour.

Exclus de notre univers

Dans notre combat quotidien, nous avons quantité de préoccupations qui sont parfaitement étrangères à la nécessité première, celle d'imiter le comportement de l'amour et de la vérité.

Ce sont là deux univers qui sont situés quelque part aux antipodes.

Comme nous avons du mal à nous y introduire !

Il suffirait pourtant de si peu de chose pour que tout s'éclaire et soit transfiguré !

Les lois de la vie

Nous en avons tous fait l'expérience :

a) la rencontre d'une seule personne qui nous aime véritablement suffit pour nous faire oublier la souffrance causée par l'indifférence de toutes les autres ;

b) être consolé par un seul être qui nous est intensément présent peut nous guérir de toutes les blessures que nous avons pu recevoir ;

c) lire sur un visage la joie que suscite notre présence efface instantanément la tristesse accumulée durant toute une vie de solitude ;

d) une seule minute de bonheur plein est capable de dissiper des années de souffrance.

C'est ainsi que la vie obéit à des lois qui n'ont absolument rien à voir avec l'étroitesse de nos calculs et la lenteur de nos chemins.

À l'école de l'amour

Avant de « comprendre », il nous faut « subir » l'amour et sa loi.

L'amour ne s'apprend pas dans les livres.

L'amour n'est pas une affaire d'idées.

L'amour n'est pas au bout de nos efforts.

Bien au contraire, il en est la source, l'origine.

L'amour ne s'apprend que dans l'expérience de son souffle qui prévient, nous surprend et nous traverse de façon absolument gratuite.

Inacceptable vérité

Vous m'objecterez que le mal en nous est ce qui empêche l'amour de nous envahir, et donc qu'il importe d'éliminer ce mal pour que l'amour puisse nous rejoindre.

Ce serait déjà trop attendre de nous : l'élimination du mal est le travail de l'amour, non le nôtre.

Et une forme subtile de ce mal qui nous habite consiste à vouloir intervenir dans un domaine qui est réservé à la juridiction de l'amour.

L'amour ne danse jamais si bien qu'à l'heure où il le fait sur nos ruines et nos échecs.

L'amour peut manifester toute sa gratuité quand, chez celui qu'il visite, il ne se trouve aucune monnaie offerte pour l'acheter.

Le fruit du jeûne

En nous, la seule véritable destination du mal, et de la souffrance qu'il y engendre, est de servir d'aliment à la célébration.

Quelle inacceptable vérité !

Au Prodigue, il aura fallu un si long jeûne et tant de larmes pour le comprendre enfin : il n'a ouvert les yeux qu'en tombant dans les bras de son père.

Et c'est ce qui a engendré le scandale chez ceux qui, sans assez de discernement, avaient misé d'abord sur l'observance de la loi.

Les larmes et le jeûne ont moins comme but d'expier nos fautes que de nous éclairer sur les mécanismes libérateurs de l'amour.

C'est quand nous aurons connu les profondeurs de notre pauvreté que nous toucherons à la fête essentielle.

Alors nous pourrons accepter la première place, celle que nous ne méritons pas.

Nous aurons été forcés de reconnaître l'amour pour ce qu'il est : pure gratuité.

Une seule présence

Il importe avant tout que notre cœur devienne liquide.

Tout le reste viendra par surcroît.

C'est à cette condition que nous accepterons comme tout naturellement d'être la plus belle chose du monde.

Chacune de nos petites souffrances, celles qui sont engendrées par la mesquinerie de nos égoïsmes quotidiens, pourra devenir chose aussi importante que le sang des martyrs.

L'insignifiance de notre vie nous vaudra tout le capital de gloire dont le cœur du Père a pu rêver pour nous.

Vous le savez déjà, la seule présence de l'épouse suffit à jeter le bien-aimé au cœur même de toute joie.

« Tu me fais perdre le sens, ô fiancée, par un seul de tes regards » (Ct 4,9).

Le risque inouï

De quelle manière l'amour compte-t-il et évalue-t-il ?

Ce n'est pas la grandeur de l'œuvre qui l'éblouit.

Oserons-nous avouer une telle chose ?

Ce n'est même pas le degré de charité avec lequel un acte est posé qui lui donne sa valeur.

C'est la manière dont nous sommes regardés par l'amour.

C'est jusqu'au cœur de nos itinéraires les plus troubles que l'essentiel de la vie peut venir se loger, et avec cette grâce dont l'amour seul est capable.

Il suffirait de nous laisser regarder pour que tout se réalise au-delà de nos attentes.

Mais qui de nous va oser prendre ce risque inouï, le risque de confier à l'amour toute la dette qui lui pèse ?

Comment laver notre tunique ?

Aussi longtemps que nous n'aurons pas connu l'amour, nous allons persister à « filtrer minutieusement le moucheron » et nous laisserons passer le chameau sans même l'apercevoir.

Comment arriver à comprendre que l'important n'est pas « d'abord » de nous purifier pour devenir dignes de l'amour ?

En lavant de nos mains notre tunique, nous ne pouvons que l'entacher davantage.

Les tenants de la loi nous en sont tous témoins, eux qui s'en retournent chez eux non justifiés (*cf*. Lc 18,14).

Quelle tristesse, et quel temps si péniblement perdu !

Le voile enlevé

Qu'attendons-nous pour vivre ?

L'essentiel dort paisiblement quelque part au fond de notre cœur tourmenté.

Quand la main de l'amour lèvera le voile sur notre mystère caché, nous n'y verrons plus que de la gloire.

Cette vision sera le signe que notre cœur aura été converti à l'amour.

Débarrassés de toute raideur et de toute peur, nous accepterons la première place, nous accepterons d'être irremplaçables, uniques, parce que, pour la première fois, l'amour seul aura eu droit de parole.

La voix de nos bonnes œuvres

L'amour ne pourra commencer à nous parler au cœur qu'à partir du moment où toutes les autres voix se seront tues en nous, à commencer par la voix de la culpabilité et celle de la peur.

Mais elle est intouchable en nous la prétention d'apporter quelque chose à l'amour pour le persuader de nous aimer.

La voix de nos bonnes œuvres sera toujours la dernière à se taire au fond de notre être.

Quelle erreur !

Nous avions pensé que l'amour pouvait agir en contradiction avec sa nature profonde.

Selon nous, il pouvait être attentif à autre chose qu'à nous aimer.

Et, pour aimer, il lui fallait être motivé par quelque chose d'étranger à lui-même !

Ce qui est premier

La plus belle Église du monde, celle qui donne le plus de joie au Père, est celle que nous formons ici même, aujourd'hui.

Celle à qui le Père a dit : « Tu es mon unique. »

Dans notre trajectoire, quand la présence du mal a la permission d'assombrir notre fête intérieure au lieu de lui donner sa richesse et sa splendeur, c'est que nous renversons l'ordre établi par Dieu.

À ce moment-là, ce qui devient premier, ce n'est plus l'action souveraine de Dieu, mais notre comportement, notre agir, notre manière d'évaluer les réalités de la vie.

Le mal devient la mesure de l'amour

Il importe de bien comprendre de quelle manière notre mal est au service de notre fête intérieure.

Nous ne pouvons pas évaluer la pureté de notre charité.

Nous ne pouvons pas avoir la certitude d'aimer sans intérêt, gratuitement.

Il est pourtant un moyen de savoir.

Voilà que vous avez agi de façon impardonnable envers votre meilleur ami.

Or, vos proches, qui ne savent rien de votre attitude négative envers ce dernier, vous apprennent qu'il parle en bien de vous à tous les gens qu'il rencontre.

À ce moment, vous avez la certitude que cet ami vous aime au-delà de la dureté que vous avez manifestée à son endroit.

Vous êtes également assuré d'être aimé pour vous-même et d'être situé à un autre niveau que celui de vos seuls actes, bons ou mauvais.

Mais c'est la présence du mal en vous qui vous a permis de mesurer de quelle manière et à quelle profondeur vous étiez aimé de celui que vous aviez blessé.

L'amour ne nous suffit pas

Il arrive cette loi paradoxale : nous aspirons tous à être évalués selon la vérité de notre être en même temps que nous confions à nos actes la mission de nous révéler aux autres.

C'est là toute la tristesse de notre vie.

L'amour ne nous suffit pas.

La présence du mal en nous, l'impossibilité où nous sommes de nous guérir, tout cela fait partie du plan de Dieu sur nous.

La souffrance va nous brûler à la manière d'un continuel purgatoire, aussi longtemps que nous ne lâcherons pas prise sur notre agir ;

aussi longtemps que nous n'aurons pas compris que le regard du Père nous atteint à un niveau beaucoup plus stable et profond que celui de nos actes.

Le roseau brisé

Ce serait là notre paix définitive.

Aujourd'hui même, à la manière de saint Augustin, nous pourrions, en regardant notre mal, parler d'une heureuse faute qui aboutit, en définitive, à un tel surcroît de vie.

Alors, nous connaîtrions de l'intérieur, et non plus seulement avec notre intelligence, la véritable nature de la béatitude chrétienne.

Mais nous ne sommes pas à la hauteur de ce don sans prix qui nous est offert.

Nous demeurons en attente d'une autre paix, à l'image d'Israël, qui était constamment tenté de s'appuyer sur l'Égypte pour la victoire.

« Roseau brisé qui perce la main de qui s'y appuie » (Is 36,6).

« Le reste des hommes, qui sont rapaces, injustes... »
(Lc 18,12)

Une loi bouleversante

De l'attitude du Pharisien face au publicain, du comportement du grand frère face au jeune Prodigue, se dégage une loi bouleversante et pratiquement inacceptable pour nous : l'homme irréprochable qui voit et mesure le péché de son semblable est plus loin du salut que le pécheur gémissant sous le poids de son propre péché.

Prêter attention au mal qui est dans l'autre est une faute plus grave que le mal commis par ce dernier.

Le mal le plus grave

Mais allons plus loin : quand je m'attarde sur mes manquements, sous prétexte d'en évaluer exactement la gravité et, mieux encore, pour être en mesure de les regretter avec plus de conviction, est-ce que je n'ai pas à l'égard de moi-même l'attitude du Pharisien et du grand frère envers ceux qu'ils accablent de leur mépris ?

Se pourrait-il aussi que le fait de m'arrêter sur mon péché soit un mal plus important que ma faute elle-même ?

En de telles circonstances, avons-nous seulement la présence d'esprit nécessaire pour comparer notre attitude avec celle du père dont l'attention reste fixée, au-delà du mal réel, sur la grandeur et la beauté cachées dans l'enfant bien-aimé ?

Est-ce que je regarde de la même manière que Dieu ?

Au début du cheminement de foi, ce qui est grave dans ma vie, ce sont mes désobéissances à la loi ; au terme, ce qui est capital, c'est mon attitude envers mon péché.

« La charité ne tient pas compte du mal » (1 Co 13,5).

Dieu voit le mal, bien sûr, mais il agit « comme s'il ne le voyait pas » (*cf.* 1 Co 7,29-31).

L'Innocence infinie ne tient pas compte du mal, de mon mal.

Si donc je tiens compte du mal qui est dans mon semblable, si je tiens compte du mal qui est en moi, mon regard est différent de celui de Dieu.

La présence du mal en moi ne change pas la substance du regard que le Père pose sur moi.

Suis-je encore l'authentique enfant du Père quand, en moi, la présence du mal est perçue comme menaçante ?

La charité n'a pas encore converti mon regard.

Le mal peut et doit me bouleverser, mais dans la mesure seulement où j'ai agi en contradiction avec l'harmonie de l'amour qui me poursuit.

Quelle tristesse de devoir constater que je ne ressemble pas à la beauté de l'amour !

La lumière du Père

J'ai envers les autres et envers moi-même l'attitude du Pharisien envers le publicain, l'attitude du grand frère envers le Prodigue.

Dans toute espèce de mal, le mien ou celui des autres, dans toute espèce de péché, le grave ou l'infime, mon œil, comme celui de Dieu, doit en arriver à ne voir toujours que l'être du pécheur inondé de la lumière du Père.

À l'origine de la fête

Qui de nous, face à son péché ou à celui des autres, peut, en tout temps de sa vie, conserver un regard semblable à celui que le Christ posait sur Madeleine, à celui dont le père enveloppait le Prodigue ?

Qui a spontanément envie de célébrer, de faire la fête ?

La fête non pas « en dépit » du péché, mais « à cause » de la miséricorde obligatoirement manifestée quand la souffrance du péché vient frapper à sa porte.

La contrition et la joie

Aux yeux de l'homme, Dieu est coupable d'une multitude d'injustices.

« Vas-tu regarder avec un œil mauvais parce que je suis bon ? » (*cf.* Mt 20,15).

Le Christ a été très sévèrement jugé pour s'être laissé toucher par une femme de vie.

L'attitude miséricordieuse de Dieu est volontiers taxée de complaisance ou de favoritisme.

« Faut-il que tu sois jaloux parce que je suis bon ? » (Mt 20,15).

Et moi-même, je le juge de cette manière, je prends la relève de cette race si peu sympathique des Pharisiens chaque fois que quelque chose se serre en moi à la suite de mes fautes.

J'ai bien dit : « se serre », parce que la véritable contrition, c'est-à-dire l'impact du péché dans le cœur d'un enfant du Père, ne serre pas le cœur, elle le dilate au contraire dans une forme supérieure de joie et de liberté.

Et le problème de la souffrance, celle en particulier des innocents, quoi qu'il y paraisse, n'est pas la première cause de la révolte de l'homme contre Dieu.

L'injustice de Dieu

Ce que l'homme reproche le plus volontiers à son Dieu, c'est bien son étrange attitude envers celui qui a mal mérité.

L'homme n'aura jamais fini de pardonner cette injustice à son Dieu : parce que l'œil de Dieu ne changera jamais !

Parce que « l'incompréhension » de l'homme ne cessera jamais de méconnaître « l'incompréhensible » agir de son Dieu !

La rectitude morale a tant de valeur à nos yeux qu'elle en est arrivée à prendre plus de place que l'être et la personne.

Pénible irradiation de notre lumière

Avons-nous été bien attentifs à l'envergure de notre hérésie toujours prête à donner plus d'importance à l'agir qu'à l'être ?

Le mal qui est dans l'autre et, plus encore, le mal qui est en nous nous blessent si facilement !

La lumière dont nous sommes les porteurs nous transfigure si péniblement !

Elle a tant de difficulté à irradier à travers nos gestes !

Aurions-nous plus d'appétit pour la mort que pour la vie ?...

Les attentes de l'amour

Le poids des choses de Dieu répugne à s'asseoir sur nos froides balances.

Le poids des choses de Dieu ne s'évalue pas, parce que ce poids est ce qui mesure toute chose.

La grâce, l'indulgence et l'innocence, voilà la trilogie des valeurs dernières.

L'amour n'exige rien !

L'amour n'attend rien de moi !

L'amour n'attend que moi !

L'amour au service de ma fête

Vous m'objecterez peut-être que Dieu réclame l'amour et l'adoration, et le service, et l'obéissance, et la louange.

– Non ! Si Dieu réclame de moi la louange, ce ne peut être pour lui, mais uniquement parce qu'il sait que mon cœur ne peut vivre et respirer sans cette sorte de danse, dont seul l'amour vrai est l'instigateur.

Notre Dieu n'est pas dupe : il sait bien qu'en le fêtant, c'est le meilleur de moi qui apprend à respirer.

Il sait aussi qu'en le fêtant, c'est moi-même que j'apprends à célébrer.

Il n'est là que pour permettre à ma fête de subsister en attendant le jour où elle deviendra adulte et autonome.

L'amour n'a d'autre raison d'être que de se mettre ainsi au service de ma fête !

En attente de l'éternelle célébration

L'amour est à lui-même sa propre louange.

L'amour ne sait qu'une chose : entrer et demeurer en état de célébration.

Mais nous sommes si loin de l'amour que nous avons besoin de nous voir continuellement soutenus pour entrer et pour demeurer en état de fête ininterrompue.

Et la patience et l'indulgence de Dieu se prêteront à ce jeu aussi longtemps que nous n'aurons pas atteint, avec sa grâce, un tel état d'éternelle célébration.

Le cri des origines

Devant mes œuvres, et même devant l'œuvre de Dieu en moi – incomparablement plus parfaite – , il m'est bien difficile de laisser jaillir la parole des origines : « Cela était très bon » (Gn 1,31).

Mais le Fils aide ma prière quand il dit : « Père, donne-moi cette gloire que j'avais auprès de toi, avant que le monde fût » (Jn 17,5).

La seule exigence de l'amour

Si Dieu me fait un devoir d'obéir, ce n'est pas parce qu'il aurait besoin de ma soumission, c'est uniquement parce que l'obéissance, l'obéissance de l'amour, est la première loi de mon être.

Quand Dieu me demande de l'aimer avant tout et par-dessus tout, ce n'est pas parce qu'il a besoin de mon amour, mais parce que mon être n'aspire qu'à aimer, qu'à devenir amour.

L'amour ne peut m'inviter qu'au respect de moi-même.

L'amour n'exige que moi !

Audacieuse mission

La bienveillance inconditionnelle envers les autres et envers moi-même, voilà la loi dernière de mon accomplissement et de mon épanouissement.

Et pourtant, il y a plus : **c'est Dieu lui-même que je dois désarmer de tout ce qui, en lui, pourrait avoir couleur de justice humaine.**

C'est Dieu lui-même que je dois revêtir d'une indulgence infinie par rapport à mon péché.

C'est le regard de Dieu que je dois purifier au point de le rendre incapable de tenir compte du mal qui est en moi.

Une facilité qui requiert l'héroïsme

Où est l'enjeu : me rendre « acceptable » aux yeux de Dieu, ou « accepter » que repose sur moi le regard de l'amour, de cet amour qui est incapable de voir le mal qui est en moi ?

– « Non ! Trop facile ! Trop facile ! »

Étonnante exigence que cette « trop grande facilité » : seuls les saints, ces êtres rompus à l'héroïsme continu, en ont été capables.

« Avec tous les péchés du monde, disait Thérèse de Lisieux, j'irais me jeter dans les bras du Père. »

Le défi de l'acceptation

Il y a trop longtemps que nous conduisons le combat de notre justice pour accepter, sans plus, de mener le combat de l'Esprit.

Il a toujours fallu nous éloigner du danger, combattre les ténèbres, nous protéger contre tout ce qui nous menace, choisir le meilleur chemin, prévenir les erreurs, acquérir des lumières, nous informer, consulter, discerner...

Pourtant, le miracle de la vie ne demandera toujours qu'à surgir et à jaillir.

Oui, pour atteindre à toute l'envergure dont nous sommes capables, il suffit de nous laisser envahir.

L'univers de la charité, le connaissons-nous ?

Sommes-nous seulement capables d'en soupçonner l'existence, si nous ne sommes pas encore en mesure d'en accepter les lois miraculeuses ?

Vérité de l'homme, vérité de Dieu

Mais comment plonger les yeux fermés dans une pareille aventure sans risquer de sombrer dans l'irréel ?

En effet, si je refuse de tenir compte du mal qui est en moi et aussi dans mon semblable, je ne suis plus dans la vérité, puisque ce mal existe bel et bien en chacun de nous.

Il faut l'admettre, nous ne sommes plus dans la vérité, dans la vérité **« de l'homme »**.

Nous sommes passés dans la « vérité de Dieu ».

La salutaire illusion de l'amour

Déjà, sur terre, les amoureux vivent de cette loi.

Un être est en amour avec une personne dont les défauts m'agacent au plus haut point.

Je dirai à cet amoureux : « Ouvre tes yeux avant qu'il ne soit trop tard !

Tu es dans l'illusion, et ton cœur te trompe. »

Au vrai, l'émerveillement du coup de foudre une fois passé, la dure réalité laissera voir son décevant visage.

Mais, dans ce cas, où est l'erreur ?

Dans le fait de n'avoir pas su voir à temps le mal qui était dans l'autre ?

C'est là notre habituelle conclusion, et c'est là aussi notre erreur : **le mal est dans la faiblesse de l'amour qui n'a pas su maintenir son souffle pour garder la personne aimée dans la gloire béatifiante de l'amour.**

Il ne s'agissait donc pas de ramener l'amoureux à plus de prudence et de discernement, mais il fallait l'inviter à retrouver et à conserver la flamme originelle dont la clarté n'illumine que la face éternellement glorieuse de la personne aimée.

Ce que l'humanité attend de moi

Fermer les yeux sur toute espèce de mal, comme Dieu le fait si bien, laisser pousser l'ivraie partout où elle se trouve sans céder à la tentation de l'arracher, nous remplir les yeux et le cœur de la lumière qui habite tout être en qui circule le sang de Dieu est un acte chargé d'une telle fécondité que toute autre forme de conversion prend, en comparaison avec ce miracle, l'allure de parent infiniment pauvre.

C'est avec cette sorte de regard que le père du Prodigue ressuscite son enfant.

C'est de la même manière que le Christ transforme la prostituée en vase d'élection.

L'humanité entière attend de pouvoir puiser dans mes yeux cette lumière qui, spontanément, fait se lever toutes les formes de la beauté, dissimulée souvent dans les êtres aux dehors les plus lamentables.

L'universel remède

« L'illusion » de l'amour béatifie l'aimé en même temps qu'elle transfigure celui qui aime.

L'onction de l'amour guérit de toute douleur.

La beauté de l'amour anéantit toute laideur.

La grâce de l'amour désamorce toute raideur.

Allons-nous continuer de souscrire à la loi de notre justice et nous condamner par là à vivre en nous privant toujours de la gloire de l'innocence et de la miraculeuse fécondité de l'indulgence ?

À chacun de nous de bien vouloir répondre à l'Esprit qui appelle.

Vous m'interrogerez : « Qu'en est-il de notre capacité d'aimer toujours et sans limites ? »

– RIEN !

Mais quelqu'un nous a aimés et **n'attend de nous que nous-mêmes !**

Table des matières

Achevé d'imprimer
en octobre 1994 sur les presses
des Ateliers Graphiques Marc Veilleux Inc.
Cap-Saint-Ignace, (Québec).